UMA NOVA REFORMA

UMA NOVA REFORMA

APÓS 500 ANOS, O QUE AINDA PRECISA MUDAR?

VÁRIOS AUTORES

Copyright © 2017 por Editora Mundo Cristão
Publicado por Editora Mundo Cristão

Todos os direitos reservados e protegidos pela Lei nº 9.610, de 19/02/1998.

É expressamente proibida a reprodução total ou parcial deste livro, por quaisquer meios (eletrônicos, mecânicos, fotográficos, gravação e outros), sem prévia autorização, por escrito, da editora.

CIP-Brasil. Catalogação na Publicação
Sindicato Nacional dos Editores de Livros, RJ

N811

    Uma nova reforma: Após 500 anos, o que ainda precisa mudar? / organização Maurício Zágari. - 1. ed. - São Paulo: Mundo Cristão, 2017.
    224 p. ; 21 cm.

    ISBN 978-85-433-0216-4

    1. Protestantismo - História. 2. Reforma protestante. I. Zágari, Maurício.

17-40760   CDD: 280.409
                                                                      CDU: 28(09)

Categoria: Cristianismo e sociedade

Publicado no Brasil com todos os direitos reservados pela:
Editora Mundo Cristão
Rua Antônio Carlos Tacconi, 79, São Paulo, SP, Brasil, CEP 04810-020
Telefone: (11) 2127-4147
www.mundocristao.com.br

1ª edição: julho de 2017

SUMÁRIO

Prefácio — Mark Carpenter   9

Introdução — Alderi Souza de Matos   13

1. **O Cristo da fé protestante**   21
   Antônio Carlos Costa

2. **Do manjar ao pão diário**   31
   Armando Bispo da Cruz

3. **Do lixo ao luxo: a teologia pentecostal e a construção do *self* na cultura brasileira**   39
   Braulia Ribeiro

4. **Missão quase impossível**   47
   Ciro Sanchez Zibordi

5. **A Igreja reformada de volta à Reforma**   55
   Durvalina Bezerra

6. **Nada a reformar, tudo a celebrar**   63
   Ed René Kivitz

7. **O que é adoração reformada (e por que precisamos dela)?**   69
   Gerson Borges

8. **Uma reforma interior** — 77
Isabelle Ludovico

9. **Procuram-se igrejas centradas no evangelho** — 85
Jay Bauman

10. **A alma dividida da Reforma** — 93
Luiz Felipe Pondé

11. **O filossemitismo e a Reforma Protestante** — 101
Luiz Sayão

12. **A infinitude de Deus e o drama da rotina** — 109
Marcos Almeida

13. **A reforma do coração: contra a heresia da agressividade** — 115
Maurício Zágari

14. **A multiface da Igreja evangélica brasileira** — 129
Miguel Uchôa

15. **Uma nova reforma na Igreja? Sim, na liderança!** — 137
Nancy Gonçalves Dusilek

16. **Para não dizer que não falei de reforma** — 145
Paulo Ayres Mattos

17. **Reformando a teologia pública: o pecado, o pastor e o pluralismo** — 153
Pedro Lucas Dulci

18. **Ao celebrarmos a Reforma...** — 161
Ricardo Bitun

19. **Um novo jeito de ser protestante no Brasil (Protestantismo de Experiência Racional)** — 169
Rivanildo Segundo Guedes

20. **Precisamos de uma reforma** — 179
Russell Shedd (*in memoriam*)

21. A revolução dos sacerdotes adormecidos 189
    Sérgio Queiroz
22. Uma nova reforma para resgatar a 197
    singularidade das Escrituras
    Solano Portela
23. O desafio é não apenas celebrar, mas mudar 205
    Tito Oscar

Notas 211

Sobre os autores 219

PREFÁCIO

Na história do cristianismo, somente a ressurreição de Jesus supera o impacto da Reforma Protestante desencadeada por Martinho Lutero em 1517. Se a ressurreição justificou o estabelecimento de uma nova fé, após um milênio e meio a Reforma salvou a fé do *establishment*. A fragmentação da igreja, iniciada há quinhentos anos, deu início à democratização do evangelho, voltou as atenções para a supremacia da Bíblia e livrou a fé das estruturas, hierarquias e liturgias engessadas da igreja romana.

O que deu força e, enfim, perenidade à Reforma Protestante foi não somente sua natureza iconoclasta, beirando a anarquia, mas as novas definições daquilo que constitui autoridade espiritual. Doutrinas e práticas sem fundamento bíblico foram questionadas e descartadas. O supérfluo religioso rendeu-se à essência da Palavra.

Passados quinhentos anos, quais são os elementos supérfluos que hoje teimam em competir com essa essência? No Brasil, quais são as pressuposições, doutrinas, práticas e regras que ameaçam tomar o lugar das Escrituras em nossa vida eclesiástica, influenciando nossa atitude e cosmovisão?

Para reconhecer e celebrar esse aniversário importante, decidimos reunir reflexões de alguns dos mais célebres escritores e pensadores do mundo cristão. Para assegurar a composição de um retrato plural da igreja no Brasil, escolhemos escritores de variadas linhas do protestantismo brasileiro. Entre o grupo de convidados estão presbiterianos, batistas, pentecostais, anglicanos, metodistas, missionários, acadêmicos, ortodoxos, adeptos da missão integral, calvinistas, arminianos, pastores, leigos, homens e mulheres. Para eles e elas, propusemos que refletissem sobre o significado da Reforma e sugerimos duas perguntas para direcionar sua contribuição:

1. "Passados quinhentos anos da Reforma Protestante, e considerando o cenário problemático que a engendrou, o que seria em sua opinião uma nova reforma em nossos dias? Na igreja, hoje, o que carece de reforma?"
2. "Que consequências essa reforma proposta deveria ter para a igreja e para a sociedade como um todo?"

Fomos surpreendidos pela diversidade de opiniões. Uns disseram ser dispensável uma nova megarreforma, porque hoje os cristãos são livres. Outros defendem o conceito de uma reforma constante, na qual todas as novas tendências são examinadas à luz da Bíblia à medida que surgem. Há quem ressalte a necessidade de reformas entre grupos específicos na igreja, ou mesmo visando a um maior impacto da igreja na história e na cultura da sociedade como um todo. Uns clamam por um olhar mais concentrado sobre Jesus, e um cuidado maior com as Escrituras. Alguns focam o perigo das ameaças à igreja: heresias, seitas, falta de contato com a Palavra, pobreza espiritual, mercantilismo, bairrismo, agressividade, isolacionismo, falta de teologia pública, liberalismo e outras.

Entre os escritores, parece haver um consenso de que a Reforma Protestante foi necessária, pois ela abriu um precedente de questionamento das autoridades eclesiásticas que até hoje serve bem o cristianismo. É esse questionamento, essa insistência sobre a relevância da fé, que não permite que o cristianismo desapareça. Temos as Escrituras, a Palavra de Deus revelada. Quaisquer interpretações das Escrituras são feitas a partir da revelação toda e são passíveis de análise e crítica com base na ortodoxia de consenso e na história da igreja. A supremacia da Bíblia faz desnecessária uma única voz que a represente para todo o povo cristão. Mantê-la como regra viva de fé e prática abre as portas para interpretações das mais heterogêneas e, naturalmente, dispensa tentativas de padronização. Enquanto no mundo corporativo vemos a tendência de consolidação e de fusões de grandes grupos econômicos, na igreja a fragmentação continua até hoje. Paradoxalmente, a multiplicidade de denominações e igrejas independentes não enfraquece o avanço da Igreja pelo mundo, principalmente na Ásia, na África e na América Latina.

O anseio por uma nova reforma decorre da constatação de que nem tudo vai bem na igreja. O esforço coletivo de voltar às Escrituras, adequar tendências às prioridades bíblicas e extirpar ênfases que minimizam a mensagem do evangelho pode corrigir a trajetória da igreja. Se é impossível imaginar o crescimento do cristianismo sem a presença da igreja, é igualmente inconcebível imaginar uma igreja saudável na qual não ocorram sempre adaptações, correções de rota e contextualizações, visando à relevância na sociedade, a mudanças e reformas.

Agradecemos aos escritores que participaram deste volume. São eles, ao lado de centenas de milhares de outros líderes cristãos espalhados pelo Brasil, que têm a oportunidade de atuar como novos Luteros, comprometidos com o evangelho e cujos dedos acompanham o pulso da igreja, discernindo o que está bem e o que precisa de reforma.

Mark Carpenter
Diretor-presidente da Editora Mundo Cristão

INTRODUÇÃO

Alderi Souza de Matos

A maior parte das pessoas tem algum conhecimento do episódio que marcou o início da Reforma Protestante: a publicação das 95 teses de Martinho Lutero acerca das indulgências. Porém, são poucos os que conhecem o que está por trás desse famoso documento. Trata-se de uma história ao mesmo tempo curiosa e reveladora do que ocorria naquela época tanto na igreja como na sociedade europeia.

Desde 1356, o soberano alemão, ou sacroimperador romano, era escolhido por um pequeno colégio eleitoral constituído por sete membros: três arcebispos (de Mogúncia, Trier e Colônia), três nobres e o rei da Boêmia. Um dos nobres era o margrave (encarregado de governar e administrar províncias fronteiriças) de Brandemburgo, da poderosa família Hohenzollern. Em 1514, como o arcebispado de Mogúncia estava vago, essa ambiciosa família teve a ideia de "adquirir" tal cargo e, assim, aumentar sua influência numa eleição imperial que se aproximava. O escolhido para ser o novo arcebispo foi Alberto, irmão do margrave. Porém, havia um problema: Alberto já era detentor de outro bispado, e isso violaria as normas da igreja contra ofícios múltiplos, o chamado "pluralismo".

Somente uma autorização especial do papa poderia permitir que essa lei eclesiástica deixasse de ser aplicada. Ocorre que o papa Leão X experimentava grande necessidade de recursos para construir a grandiosa catedral de São Pedro, em Roma. Assim, a autorização foi concedida em troca de uma alta soma de dinheiro, que precisou ser tomada por empréstimo, com juros exorbitantes, dos banqueiros Fugger, da cidade de Augsburgo. Para amortizar o vultoso empréstimo, Alberto, o novo arcebispo de Mogúncia, recebeu de Leão X o direito de vender indulgências, sendo metade dos rendimentos destinada à construção da catedral romana. Quando o pregador das indulgências se aproximou de Wittenberg, Lutero ficou indignado e escreveu as 95 teses. Estava deflagrada a Reforma.

Reforma! Todo movimento religioso corre o risco de se desvirtuar ao longo do tempo, de se afastar de seus fundamentos. Com isso, tornam-se necessárias correções de rumo, com maior ou menor profundidade. Isso ocorreu diversas vezes nos tempos bíblicos. O Antigo Testamento relata muitas reformas no culto e na vida religiosa de Israel, como as promovidas pelos reis Asa, Josias, Josafá e Ezequias, bem como as empreendidas por Esdras e Neemias. Os profetas canônicos foram, em sua maioria, grandes reformadores da religião israelita.

Embora não mencione movimentos dessa natureza, o Novo Testamento de fato aponta para diferentes igrejas e grupos que se afastaram perigosamente do evangelho e careciam, portanto, de um redirecionamento radical. O caso mais notório é aquele ocorrido com as igrejas da Galácia e descrito por Paulo em sua carta a elas. O apóstolo lamenta a adesão dos gálatas a um "outro evangelho" e os conclama a reconsiderar suas posições, retornando ao genuíno evangelho de Cristo.

Na história do cristianismo, ocorreu de tempos em tempos a percepção de que a igreja majoritária estava se afastando dos ideais propostos pelo Mestre. Um exemplo interessante é o montanismo, um movimento surgido após a metade do segundo século, na Ásia Menor. Montano e seus seguidores frígios foram críticos da igreja hierárquica, a "igreja dos bispos", que eles criam estar sufocando o Espírito Santo e se amoldando gradativamente aos valores da sociedade pagã. Os montanistas propuseram um cristianismo atento à voz do Espírito e marcado por elevados padrões de ética pessoal, o que atraiu a adesão do ilustre teólogo Tertuliano de Cartago. Por causa do apelo desse grupo a revelações especiais, que pareciam se sobrepor ao Novo Testamento, e do seu questionamento dos líderes eclesiásticos, a igreja católica passou a nutrir grande suspeita em relação a movimentos dessa natureza, vistos como cismáticos e heréticos. O mesmo se pode dizer do movimento donatista do século 4.

O monasticismo, que surgiu ainda na igreja antiga, preservou o interesse montanista por uma moralidade rigorosa, sem questionar a autoridade dos dirigentes da igreja. O movimento monástico resultou do reconhecimento de que não se deveria esperar plena consagração de todos os cristãos. Sempre haveria na igreja dois tipos de pessoas: uma maioria que se contentava com um cristianismo medíocre e uns poucos que aspiravam à perfeição, conforme as palavras de Jesus ao moço rico (Mt 19.21). Com seu tríplice voto de pobreza, castidade e obediência, e sua organização coesa e disciplinada, os monges deram contribuições extraordinárias nas áreas de educação, missões e beneficência. Ao longo da Idade Média, alguns mosteiros se tornaram importantes centros de renovação na vida da igreja.

Embora alguns líderes seculares, como o imperador Carlos Magno, tenham empreendido grandes esforços no sentido de corrigir os males da igreja e elevar os padrões do clero, foram as ordens monásticas que deram origem aos principais movimentos reformadores da Idade Média. Entre elas se destaca a de Cluny, na França, que chegou ao cargo supremo da igreja na pessoa do papa Gregório VII (1073-1085), também conhecido por seu nome de batismo, Hildebrando. Esse líder empreendeu um vigoroso programa de reformas ao lutar contra três grandes distorções que afligiam a vida da instituição eclesiástica: a simonia (comércio de cargos eclesiásticos), o nicolaísmo (violação do celibato clerical) e as investiduras leigas (interferência dos governantes civis nas nomeações eclesiásticas).

Todavia, os séculos seguintes testemunharam não só a continuação desses problemas, mas o surgimento de novos transtornos que produziram constantes clamores por reforma. Uma dessas situações constrangedoras foi a transferência da cúria, ou seja, a corte papal, para a cidade de Avinhão, no sul da França. Tal fato ficou conhecido como o "cativeiro babilônico da igreja" e perdurou por cerca de setenta anos (1305-1377). Além de os papas ficarem na esfera de influência da política francesa, muitos fiéis estranhavam que o "bispo de Roma" residisse tão longe da cidade eterna. Uma situação ainda mais vexatória ocorreu nas décadas seguintes, com a existência de dois e, finalmente, três papas simultâneos: em Roma, Avinhão e Pisa, fato esse que recebeu o nome de "grande cisma do Ocidente".

No final da Idade Média, multiplicou-se na Europa um clamor por "reforma na cabeça e nos membros" da igreja. Em geral, o que se lamentava eram as distorções administrativas e morais que assolavam a hierarquia, a começar pelo caráter e pela atuação de alguns papas. No século 15, ocorreu um importante movimento que propunha a moralização da igreja mediante a ação de concílios, o chamado "conciliarismo" ou movimento conciliar, cuja expressão mais conhecida foi o Concílio de Constança, na Alemanha (1414-1418). Era uma tentativa de tornar o governo da igreja mais democrático e participativo, mas acabou produzindo forte reação, que resultou no fortalecimento da instituição papal.

A eclosão da Reforma Protestante

Ao mesmo tempo, surgiram vozes que começaram a questionar uma área até então essencialmente intocada: o arcabouço doutrinário da igreja. Um dos primeiros a se pronunciar sobre essa área tão sensível foi o sacerdote João Wycliffe (1325-1384), ilustre professor de filosofia da Universidade de Oxford, na Inglaterra. Em uma série de tratados teológicos, ele se posicionou contra a estrutura dogmática da igreja medieval, afirmando a autoridade suprema das Escrituras, definindo a igreja verdadeira como o conjunto dos eleitos e questionando o papado e a transubstanciação. Wycliffe também foi o incentivador da primeira tradução da Bíblia para o inglês, a Bíblia de Oxford. Conhecido como a "estrela da manhã" da Reforma Protestante, ele encontrou um ardoroso seguidor no sacerdote tcheco Jan Hus (1373-1415). Ironicamente, ambos foram condenados pelo concílio reformador reunido em Constança: Wycliffe foi queimado na fogueira *post mortem*, e Hus, em vida.

Um movimento que deu contribuição decisiva para a eclosão da Reforma foi o Renascimento, no final da Idade Média. Na área filosófica e literária surgiu uma ênfase que ficou conhecida como humanismo, com seu famoso lema *ad fontes*, ou seja, o retorno às fontes da cultura ocidental, a antiguidade clássica greco-romana. Entre esses antigos fundamentos do Ocidente estava a Bíblia — daí ter surgido um grupo de estudiosos que ficaram conhecidos como humanistas bíblicos, o mais famoso dos quais foi o holandês Erasmo de Roterdã. Foi ele quem publicou, em 1516, a célebre edição do Novo Testamento grego com uma tradução latina que despertou enorme interesse pelo estudo da Escritura e a consequente comparação dos seus ensinos com os dogmas da igreja de então.

Além dessas motivações — insatisfação crescente com os problemas morais e administrativos da igreja e um renovado interesse pelo estudo da Bíblia —, os historiadores apontam outros fatores que contribuíram para o movimento reformador do século 16. Um deles foi a instauração do estado nacional moderno, fortemente centralizado, e o sentimento nacionalista a ele associado. Uma das consequências disso foi a crescente animosidade contra interferências externas na vida das nações europeias, como aquelas praticadas pela igreja. Os papas não só intervinham na política de muitos reinos, mas também carreavam para Roma altas somas de dinheiro advindas das contribuições dos fiéis, o que despertava a indignação de muitos governantes.

Todavia, o fato é que, apesar desse complexo conjunto de circunstâncias, a eclosão inicial da Reforma resultou da experiência religiosa de um único homem. Foi na área da soteriologia, do entendimento da salvação, que tudo começou. Angustiado com a questão da justiça de Deus, que entendia como algo exigido dos seres humanos, o monge agostiniano Martinho Lutero teve uma percepção revolucionária. Mediante o estudo das cartas paulinas, concluiu que, ao contrário do que imaginava, a justiça é algo graciosamente concedido por Deus àqueles que creem em Cristo. Estes são considerados justos diante de Deus não por causa daquilo que fizeram, mas em virtude daquilo que Cristo fez por eles.

A "justificação pela graça mediante a fé somente", não por meio de obras meritórias (Rm 1.17; 3.21-26; Ef 2.8-9), tornou-se o grande fundamento doutrinário da Reforma Luterana e da Reforma Protestante como um todo. Essa convicção era uma decorrência do chamado "princípio formal" da Reforma, a supremacia da Escritura em matéria de fé e prática (*Sola Scriptura*), e foi desdobrada em outros princípios fundamentais, como *Sola Gratia* (somente a graça), *Solus Christus* (somente Cristo) e *Sola Fide* (somente a fé). Havia ainda o quinto *sola*: *Soli Deo Gloria* (só a Deus a glória). A esses, somou-se um último princípio essencial para todos os ramos do movimento reformista: o sacerdócio de todos os fiéis, ou seja, o fim da distinção entre clero e leigos.

Embora concordassem no âmbito da soteriologia, os protestantes acabaram por divergir fortemente em outras áreas, como o entendimento do ministério, do culto e da eucaristia, manifestando diferentes graus de afastamento da doutrina católica romana tradicional. Isso levou a muitas divisões ainda no período inicial da Reforma. Os luteranos retiveram o episcopado e uma concepção mística dos sacramentos. Os anglicanos conservaram os conceitos de sucessão apostólica, hierarquia eclesiástica e liturgia solene, mas rejeitaram a transubstanciação. Os reformados suíços adotaram o sistema presbiterial em lugar do episcopal e nutriram um conceito elevado acerca do culto e dos sacramentos. Os anabatistas não quiseram reter quase nada do que os precedeu, e sim retornar à igreja do Novo Testamento, dando grande prioridade à experiência religiosa. Desses quatro grupos e suas ênfases resultaram todas as demais confissões protestantes.

Se, no aspecto negativo, o movimento protestante rompeu a unidade do cristianismo ocidental, no sentido positivo foram muitas as suas contribuições: grande apreço pela Bíblia como a Palavra de Deus e como a fonte primordial da fé e da cosmovisão cristã; valorização da pessoa de Cristo como único mediador entre Deus e a humanidade, e de sua obra expiatória como meio exclusivo de redenção e reconciliação; entendimento da igreja como sendo a comunhão dos fiéis e uma comunidade de adoração, testemunho e serviço; participação plena dos crentes na vida da igreja e do mundo como ministros de Deus; novo conceito de vocação, que valoriza a vida em família, o trabalho "secular" e o envolvimento na comunidade; ética pessoal, social e política que procura colocar todas as dimensões da vida sob o senhorio de Cristo.

No transcurso do quinto centenário da Reforma Protestante, os herdeiros desse vigoroso movimento de renovação e revitalização precisam se apropriar mais uma vez das convicções e dos valores que abalaram o século 16. Numa época em que o relativismo e o pragmatismo seduzem tantas igrejas e líderes, é urgente que ouçam e apliquem um lema que se tornou conhecido nos séculos posteriores à Reforma: *Ecclesia reformata semper reformanda*, isto é, "Igreja reformada sempre se reformando". Só assim poderão cumprir com integridade sua vocação e missão no mundo em que vivem.

1

O Cristo da fé protestante

Antônio Carlos Costa

> Na minha consciência, não reina a lei, duro tirano e carrasco cruel, mas Cristo, o Filho de Deus, o rei da paz e da justiça, o dulcíssimo Salvador e Mediador que conservará a consciência alegre e pacífica, na sã e pura doutrina do evangelho e no conhecimento desta justiça passiva.[1]
>
> Martinho Lutero

Revelar ao mundo um Cristo doce foi, acima de qualquer dúvida, a maior contribuição da Reforma Protestante para a felicidade da humanidade. Com Lutero, aprendemos a chamar Cristo pelo nome: Jesus, *Jeová é salvação*. O homem é emancipado dos terrores da Lei, dos golpes da consciência, dos ardis da religião, da ameaça do inferno, do pavor da morte. Fim da fobia de Deus.

A doutrina da justificação pela fé é a principal portadora dessa mensagem irracional, surpreendente, inédita. De tão maravilhosa, torna-se objeto de tentação. A razão, a religião, a Lei, o mundo, o diabo e a consciência se levantam no seu protesto contra um Deus insuportavelmente condescendente para com o pecador que se arrepende e crê.

O *locus classicus* da justificação pela fé encontra-se em Filipenses 3.2-9, passagem das Escrituras para a qual gostaria de chamar a sua atenção. De certa forma, o protestantismo inteiro está nela. O texto começa: "Acautelai-vos dos cães! Acautelai-vos dos maus obreiros! Acautelai-vos da falsa circuncisão!" (v. 2). O apóstolo Paulo declara que jamais deveria haver espaço na igreja para o pregador que não proclama a doutrina da justificação pela fé. Esse era o caso desses a quem chama de "cães", "maus obreiros" e "falsa circuncisão". Não existe desgraça maior para o homem do que estar exposto à influência de um mau obreiro.

Sua mensagem pode ser comparada ao latido do cachorro bravo. O que ele faz é latir, latir, latir. É o ministério do medo, da ameaça, da perturbação. Cristo é transformado em Moisés, a Lei em caminho de redenção, o evangelho em meta de desempenho. O homem tira os olhos do menino Jesus mamando no seio de Maria para divisar, horrorizado, o Sinai pegando fogo.

Ele é um mau obreiro por não cumprir a finalidade da pregação, que é declarar para a pecadora pega na cama em adultério e trazida para dentro do templo pela religião a fim de receber a sentença condenatória: "Onde estão os teus acusadores? Ninguém te condenou? Nem eu tampouco te condeno. Aproprie-se desse amor perdoador e viva na beleza da gratidão, fruto do favor imerecido".

Não se pode medir os danos causados por esse pequeno Moisés à vida da igreja. Cada culto é uma sessão de terror. Jovens ficam de cabelos brancos antes do tempo. O comportamento neurótico se espalha pela igreja como epidemia. Cristo passa a ser visto como Satanás.

O mau obreiro também é chamado de proclamador da heresia chamada "falsa circuncisão". Ele declarava que o gentio tinha de se tornar judeu para entrar no reino de Cristo.

Pregava a Cristo, mas, ao mesmo tempo, dizia que sem Moisés não haveria salvação. Ele não negava a Cristo. Falava sobre o nascimento virginal, os milagres, a morte, o sepultamento, a ressurreição e a ascensão aos céus. Contudo, não pregava Cristo como único e suficiente Salvador. Dizia que o homem é salvo por imitar Jesus, em vez de declarar que o homem é salvo por crer no Cristo que fez pelo homem o que este não é capaz de fazer para salvar a si mesmo.

O texto continua: "Porque nós é que somos a circuncisão, nós que adoramos a Deus no Espírito, e nos gloriamos em Cristo Jesus, e não confiamos na carne" (v. 3). Para cada obra do Espírito Santo, existe uma falsificação satânica. Há o verdadeiro arrependimento, há o falso arrependimento; há a verdadeira paz espiritual, há a falsa paz espiritual; há a verdadeira conversão, há a falsa conversão. Nesse sentido, o apóstolo Paulo declara que há a falsa circuncisão e há a verdadeira circuncisão. O que caracteriza a circuncisão genuína?

O verdadeiro talho que o Espírito Santo faz no coração humano tem como característica levar quem foi objeto de tamanha transformação espiritual a adorar a Deus no Espírito. Esse vê excelência em Deus, a quem contempla na beleza da sua santidade. Nessa relação há encanto, louvor, poesia. O evangelho o faz ver Deus não apenas como autoexistente, infinito, imutável, único; mas também como doce, amável, misericordioso, gracioso, perdoador, leal. Essa adoração é no Espírito. Movida por Deus. Fruto da revelação da beleza divina por meio do evangelho no poder do Espírito Santo.

Não há dúvida de que o apóstolo Paulo está falando sobre a verdadeira religião. A vida de Deus na alma. A real circuncisão. A cicatriz deixada pelo Espírito Santo no coração. A marca eterna, indelével. Não há mais como banalizar o sagrado. Fazer poesia para Deus agora faz sentido para a alma.

Mas não apenas isso. "... nos gloriamos em Cristo, e não confiamos na carne". O novo nascimento tem como característica a humildade de espírito. Não há mais espaço para o homem se gloriar na carne. Ele não se orgulha, baseando sua salvação em desempenho humano (jejuns, orações, vigílias, esmolas, amor, obediência). Usando o português da rua, ele "não tira onda" com a sua *performance* espiritual. Ele ignora esses espantosos feitos.

Sua alegria, seu maior prazer, o esteio da sua esperança é Jesus Cristo. Em Cristo, ele identifica um sacrifício mais excelente. Ele exulta em Cristo por não mais precisar contabilizar seus créditos a fim de saber se está em condição de comprar o perdão. O que faz o crente sossegar quanto à esperança da sua salvação não é a lágrima derramada no momento da oração, mas o sangue derramado no grande dia da redenção. Nossos sentimentos mudam dez vezes ao dia! Cristo é o mesmo ontem, hoje e sempre.

O texto prossegue: "Bem que eu poderia confiar também na carne. Se qualquer outro pensa que pode confiar na carne, eu ainda mais" (v. 4). O grande apóstolo, movido por zelo ardente pelo evangelho, passa a se desconstruir. A partir do versículo 4, ele lança para bem longe tudo aquilo que poderia ser usado por ele a fim de ter ascendência sobre a consciência dos filipenses. Ele declara que, mais do que todos os obreiros da falsa circuncisão, que se orgulhavam do seu *pedigree* espiritual, ele poderia se gabar do *status* de que desfrutava no judaísmo. O que ele tenciona fazer é ressaltar o fato de que jamais teria mudado de opinião quanto ao fundamento da remissão dos pecados se não estivesse absolutamente convencido pelos argumentos do evangelho.

Paulo prossegue: "Circuncidado ao oitavo dia, da linhagem de Israel, da tribo de Benjamim, hebreu de hebreus; quanto à lei, fariseu, quanto ao zelo, perseguidor da igreja; quanto à justiça que há na lei, irrepreensível" (v. 5-6). O que o apóstolo declara é que não havia judaizante que pudesse competir com ele. Sob todos os aspectos, podia ser considerado como alguém que atendia às condições judaizantes para a salvação. "Circuncidado ao oitavo dia", ou seja, alguém em dia com um dos principais aspectos da lei cerimonial, a circuncisão. Desde criança! Mesmo antes de ter consciência do valor do rito. "Da linhagem de Israel", fazia parte do povo que Deus separara a fim de, por meio dele, se revelar ao mundo. Israel! Que nação pode apontar para tamanha manifestação dos feitos divinos em sua história?

"Da tribo de Benjamim". Paulo fazia parte da tribo que, assim como a de Judá, não havia passado por nenhum processo de miscigenação racial. As outras dez haviam perdido o que era considerado pureza de sangue. "Hebreu de hebreus". Corria em suas artérias literalmente o sangue de Abraão. "Quanto à lei, fariseu". Adepto da seita mais severa do judaísmo. O fariseísmo tinha como característica transformar em lei divina o que era pura invencionice humana. Religião que botava na boca de Deus o que Deus jamais falara. "Quanto ao zelo, perseguidor da igreja". Seu nível de compromisso com o judaísmo podia ser medido pela maneira como lidou com o cristianismo nos seus primórdios, antes da sua conversão. Ao identificar Jesus como falso profeta e a igreja como seita judaica, tratou de envidar todo esforço possível para destruir a fé cristã. "Quanto à justiça que há na lei, irrepreensível". Quem observava sua conduta o considerava santo. Quanto à adesão exterior à fé, revelava-se obcecado pela pureza moral.

Ele avança no texto: "Mas o que, para mim, era lucro, isso considerei perda por causa de Cristo" (v. 7). O que significa lucro? Aquilo que poderia ser usado na contabilidade moral para acalmar a consciência e levar à esperança de salvação. Sua submissão à lei civil, à lei cerimonial e à lei moral. Tudo sobre o qual que acabara de discorrer. Uma conduta capaz de motivá-lo a congratular-se consigo e a prescindir de Cristo e da fé como único meio de apropriação da remissão de pecados.

Chama a atenção o fato de ele ver todo esse histórico de obras altamente recomendáveis como prejudicial à sua salvação. Ele passou a considerar perda aquilo que poderia levá-lo a prescindir de Cristo. Este era o seu maior receio: olhar para o passado de extraordinária busca de redenção e não depender da incomparável oferta de redenção oferecida por Cristo.

Aqui, nós compreendemos por que o Senhor Jesus falou de meretrizes e publicanos herdarem o reino do céus, enquanto escribas e fariseus mantinham-se alheios à oferta de salvação apresentada por Cristo. Eles consideravam lucro o que Paulo considerava perda.

O sublime

Paulo prossegue, rumo ao clímax: "Sim, deveras considero tudo como perda, por causa da sublimidade do conhecimento de Cristo Jesus, meu Senhor, por amor do qual perdi todas as coisas e as considero como refugo, para ganhar a Cristo" (v. 8). O apóstolo é enfático, "Sim, deveras considero tudo como perda [...]". Sua teologia era fruto de um histórico de desespero de alma. Ele era aquele tipo de homem que crê na existência objetiva de Deus, na santidade do Criador, na responsabilidade humana, no juízo divino. Nenhum leitor dessa passagem da Escritura entenderá sua mensagem, perceberá sua relevância ou terá interesse pelo que é dito, enquanto não viver sua agonia moral. Essa é a linguagem de quem se desesperou. Trabalhou duro. Lutou para chamar a atenção de Deus e receber em troca o seu amor, sem, contudo, jamais saber se o que fizera era o suficiente.

Por que ele considerou tudo como perda "por causa da sublimidade do conhecimento de Cristo Jesus"? Não há a mínima dúvida de que ele encontrou na mensagem de Cristo o que jamais encontrou na Lei, no judaísmo, no farisaísmo. Em Cristo, ele encontrou o sublime. O perdão santo. O abraço do Pai que recebe de volta o filho arrependido.

Paulo estava casado com a Lei, senhora exigente. Em Cristo, ele encontrou um novo amor: a graça sedutora. Em suma, ele encontrou em Cristo o que jamais vira ou ouvira. Ele provou do "poder explosivo de um novo amor". Uma paixão causada por um Cristo amoroso, paciente, gentil, que o fez considerar tudo como refugo. Refugo!

O que ele está dizendo? O apóstolo Paulo denomina excremento de animal práticas como oração, vigília, esmola, castidade, honestidade. Aqui, ele se levanta para bradar: "Não ouse se aproximar do Deus santo com seu lixo de boas obras!". Com isso, ele nos ensina uma gloriosa verdade: a única oferta que podemos apresentar a Deus chama-se Jesus Cristo. O que Deus pede de nós ele nos dá. Qualquer outro tipo de sacrifício, mesmo obras espantosas, tais como morrer por uma causa ou dar todos os bens aos pobres, façanhas morais raras de encontrar entre os homens, são consideradas indignas da glória de Deus, se a intenção é usá-las como meio de apropriação do perdão divino. Todas essas obras, sem fé, são pecado. Como diz o escritor de Hebreus: "De fato, sem fé é impossível agradar a Deus, porquanto é necessário que aquele que se aproxima de Deus creia que ele existe e que se torna galardoador dos que o buscam" (Hb 11.6).

O presente do perdão oferecido por Cristo não pode ser recebido por mãos cheias de boas obras. O objetivo da Lei é esvaziar as mãos do homem a fim de que esse receba a oferta de salvação.

Paulo fecha o pensamento: "E ser achado nele, não tendo justiça própria, que procede de lei, senão a que é mediante a fé em Cristo, a justiça que procede de Deus, baseada na fé" (v. 9). Aqui está o fundamento da Reforma Protestante. Esse simples versículo põe fim à penitência, à confissão auricular, ao purgatório, à oração pelos mortos. Aqui, a consciência humana é emancipada da igreja. Pastores, bispos e padres não mais podem tiranizar o povo de Deus usando como cabeça de ponte uma consciência aterrorizada pela Lei.

"E ser achado nele [...]" Certamente, há a religião de Cristo. Estar nele. Unido a ele tal como o ramo se une à videira; o membro, ao corpo; o tijolo, ao templo; a noiva, ao noivo. Estar em Cristo significa banir para sempre toda ideia de justiça própria. Eis o mais elevado ato de sanidade mental: um ser humano abrir mão para sempre da esperança de ser considerado justo por Deus mediante seu nível de sujeição à lei divina. Loucura! O que qualquer autoexame sincero revela? Somos amantes de nós mesmos. O maior amor que temos na vida é aquele que temos por nós mesmos. Por isso, passamos por cima de pessoas e somos visceralmente mentirosos. Justiça própria! Um homem olhar para a lei do amor e dizer "passei no teste! Amo a Deus com todo o meu ser e ao próximo como a mim mesmo". Jamais deparei com esse santo.

Quem está em Cristo desfruta da justiça que é mediante a fé. Como dizia Lutero, justiça que cai do céu como a chuva. Gratuita! Baseada não na capacidade pessoal de amar, mas na fé naquele que verdadeiramente amou com perfeição e deu sua vida por nós. Levante seu rosto agora, erga as mãos e deixe essa chuva de graça cair sobre sua alma turbada! Receba esse refrigério agora!

Observe o que diz o grande apóstolo! É justiça dada por Deus. Não é justiça infundida. É justiça imputada! Não é justiça processual. É justiça instantânea! Não é ser salvo pelo amor.

É ser salvo pela fé! "Baseada em fé". Isso significa comer a carne e beber o sangue de Cristo. Olhar para a serpente e ser curado do veneno do pecado. Voltar para casa e participar da festa do retorno sem ter passado pela senzala. Surdo à voz da lei, do diabo, da religião, da consciência, de Moisés, do inferno, da morte. Significa manter o ouvido aberto apenas para a voz do Pai, que fala por meio do seu único Filho. É a percepção disso que nos falta, ainda, no resgate da memória da Reforma, encharcados que somos com o sentido de justiça própria.

Isso é o evangelho. Por isso, sou protestante. Esse é também o motivo desta solene exortação: pregue a doutrina da justificação pela fé. Sempre! Seja bom obreiro. Pregue Cristo. Diga a todos: "O Cristo da Bíblia é um Cristo por nós e não um Cristo contra nós. Seu nome é Jesus, Jeová é salvação!".

Termino com o testemunho pessoal de Martinho Lutero, em seu comentário sobre a carta de Paulo aos Gálatas. Observe como se parece com algo que o próprio apóstolo diria:

> Quando eu era monge, esforçava-me, com a máxima diligência, em viver segundo a prescrição da regra monástica. Costumava confessar e enumerar os meus pecados, sempre, porém, com a contrição precedente, e repetia, muitas vezes, a confissão e cumpria, zelosamente, a penitência a mim infligida. E, contudo, minha consciência nunca podia alcançar a certeza, mas sempre duvidava e dizia: 'Isso não fizeste corretamente, não foste suficientemente contrito, isso deixaste fora enquanto confessavas' etc. Quanto mais, portanto, tentava curar minha incerta, fraca e aflita consciência com tradições humanas, tanto mais a tornava incerta, fraca e perturbada. E, desse modo, observando as tradições humanas, transgredia-as ainda mais e, indo no encalço da justiça na ordem monástica, nunca pude apreendê-la. Pois é impossível, diz Paulo, tranquilizar a consciência com as obras da lei, muito menos com as tradições humanas, sem a promessa e o evangelho de Cristo.[2]

2

Do manjar ao pão diário

Armando Bispo da Cruz

"Monge alemão inconformado queima a bula *Exsurge Domine*, do papa Leão X, em plena praça pública, em frente à catedral de Wittenberg! Mais detalhes com o nosso correspondente na Alemanha". O sempre elegante e sóbrio apresentador do telejornal não tinha como esconder seu espanto ao ler essa manchete. Naturalmente: era 10 de dezembro de 1520, noite em que o intempestivo protesto do padre católico Martinho Lutero atingia em cheio o reduto papal, fato até então inusitado, mas que cairia como uma bomba sobre a comunidade católica apostólica romana de todo o mundo.

"Na Palestina, um conhecido e excêntrico pregador que se veste de pele de camelo e se alimenta de mel silvestre e gafanhotos, ao ser visitado por fiscais e autoridades do templo reage vociferando a plenos pulmões: 'Ninhada de cobras venenosas! Quem disse que vocês estão isentos do julgamento divino?'. A cobertura completa, logo mais, com nosso correspondente na Palestina". Com essa notícia, o apresentador também não disfarça a surpresa. O episódio ocorre na época em que o clero judaico conta com o aval do governo romano para rastrear e punir os insurgentes que ameaçam a hegemonia do poder religioso judeu. Quem, pois, ousaria protestar contra tais poderes? Muito menos o faria usando termos e gestos tão ameaçadores ao *status quo*. Só mesmo alguém com a coragem, a independência e o compromisso de João Batista. A exemplo de Lutero, João baseava sua ousadia em uma inabalável convicção de fé, destituída das corriqueiras amarras políticas e clericais.

Esses dois personagens, separados por quinze séculos de história, revelam um traço reformista comum: a denúncia de práticas que ultrapassaram a essência do evangelho de Cristo em função de uma vida religiosa baseada na tradição humana e na hegemonia do poder clerical. É preciso considerar ainda que, não fora pelo caráter divino do ensino dos apóstolos, a doutrina cristã não teria sobrevivido, na antiguidade ou na atualidade, dadas as terríveis e sutis tentativas de manipulação humana, acrescida do jogo de interesses políticos, personalistas e denominacionais — fatores que, em todas as épocas, puseram em risco a integridade da mensagem e o foco da missão deixada por Jesus.

O visível elo entre João Batista e Lutero demonstra que a Reforma Protestante do século 16 não foi um ponto isolado no contexto e no desenvolvimento da Igreja de Jesus. A Reforma fez e faz parte de um movimento contínuo de revitalização da Igreja, que, sob a orientação do Espírito Santo e ao longo de toda a história, faz surgir os personagens, os movimentos e os grupos que ajudam na depuração da eclesiologia. Isso é feito ora preservando a essência do evangelho, ora denunciando os desvios de finalidade provocados pela contaminação política e pela ingerência clerical.

Desde o início da Igreja, muitos "ismos" surgiram, questionando os dogmas da fé cristã, dentre eles arianismo, apolinarianismo, nestorianismo e eutiquianismo, além dos jovinianos e dos paulicianos, tendo estes últimos exercido forte influência até o período medieval. Tais movimentos forçaram a igreja institucional a promover concílios, a fim de estabelecer a unidade doutrinária, definir os livros do Novo Testamento e constituir uma liderança hierarquizada, hegemônica e centralizada em Roma.

As estruturas formadas para garantir a unidade institucional e doutrinária da igreja extrapolaram a razoabilidade ao se render ao jogo do poder político, estatal e territorial. O domínio sobre os fiéis era exercido por força de Estado, pelas ameaças anti-heresias, por obscuros e autoritários dogmas religiosos e pelo monopólio clerical quanto ao acesso e à interpretação das Sagradas Escrituras.

A segregação do saber e o exclusivo estabelecimento dos dogmas por parte do clero foram perdendo força à medida que fracassava o escolasticismo e o modelo das escolas monásticas. O poder clerical se viu promiscuído pelo poder político, motivando fortes reações aos erros da Igreja Romana nos séculos 12 e 13. Essa oposição obrigou o papado a reprimir, pela Inquisição, os gritos de reforma que advinham dos movimentos considerados "hereges", dentre eles bogomilos, cátaros, albigenses, petrobrussianos, lolardos, hussitas e valdenses.

"Interrompemos nossa programação para uma notícia de última hora! Pedro Valdo, um conhecido e bem-sucedido comerciante, teve acesso a um manuscrito antigo e exclusivo do clero católico, conhecido como Novo Testamento. A leitura causou nele tão grande impacto que Valdo decidiu fazer voto de pobreza e investir na tradução e na publicação do texto no dialeto popular provençal ou occitano, tornando-o acessível a todo o sul da França. O curioso é que o dito comerciante não possui nenhum preparo ou credenciamento sacerdotal. O clandestino tradutor se insurge contra a exclusividade do clero romano em assuntos bíblicos, transformando camponeses leigos e alguns nobres em leitores e intérpretes do que ele considerava a única fonte de autoridade e fé: as Sagradas Escrituras!".

O apresentador demonstra seu espanto e conclui sugerindo que providências cabíveis sejam tomadas pela cúria romana a fim de conter esse sacrílego movimento dos séculos 12 e 13, que, afinal, poderia banalizar a fé e promover o uso indiscriminado da Palavra de Deus.

Um século depois, uma agência de notícias britânicas publica em primeira mão que um renomado professor de Oxford, João Wycliffe, faz duras críticas à Igreja Católica, declarando que "Nosso papa é o Cristo" e que o cristão não precisa de Roma ou Avinhão, sede provisória da Igreja entre 1309 e 1377, pois "Deus está em toda parte". Wycliffe também promoveu o acesso das pessoas comuns às Sagradas Escrituras, pois sua convicção era de que a Palavra de Deus deveria ser um bem comum, acessível e disponível a qualquer cristão.

Acesso à Palavra e encontro com Deus

A herança protestante, fortemente sedimentada sobre dogmas de fé cristãos — tais como *Sola Fide*, *Sola Scriptura* e *Sola Gratia* —, preservou pilares da sã doutrina. No entanto, insistiu no invólucro medieval que fez do clero e dos acadêmicos os exclusivos detentores do saber, da interpretação e da aplicação do texto bíblico para as pessoas comuns. Além disso, circunscreveu a possibilidade do encontro entre o ser humano e o seu Deus aos edifícios e às programações onde o "evento" tornou-se um exclusivo canal de acesso à graça, à unção, ao milagre, ao aprendizado, à bênção, à libertação e à adoração.

À medida que pensamos o hoje à luz da história reformista, cabe o intrigante questionamento: estaríamos novamente sacralizando a forma, centralizando tudo no templo e no evento, endeusando o clero e a academia, a ponto de não percebermos o incômodo do Espírito Santo que, por vezes, nos confronta no fracasso, no cansaço, na mesmice ou ainda no eco das denúncias históricas de Valdo, Wycliffe e Lutero?

Para não parecer excessivamente ousado, tampouco inusitado ao propor aspectos do que seria uma nova reforma, tenho me empenhado pessoalmente no resgate de dois pontos que considero pérolas da Nova Aliança e bandeira de alguns corajosos reformistas ao longo da história:

- O livre e direto acesso de cada discípulo à plena revelação da pessoa e da Palavra de Deus, na simples leitura e meditação do texto bíblico sob a iluminação do Espírito Santo, sem nenhuma mediação clerical.
- O encontro pessoal e direto com a pessoa de Deus, cultivando um andar na sua presença e um ouvir da sua vontade pela revelação bíblica, sem os limites do templo, do tempo e dos eventos promovidos pela igreja institucional.

Nunca na história do cristianismo tivemos tanto acesso ao texto bíblico, seja por meios eletrônicos, seja por via impressa, haja vista ser a Bíblia o livro mais vendido no mundo. No entanto, pouco temos evoluído no estímulo à busca pessoal e responsável do discípulo pelo conhecimento da pessoa e da vontade de Deus por meio da simples e direta meditação na Palavra, sem mediação do clero.

Nossa cultura eclesiástica premia os poucos que concluem o plano de leitura anual, dá estrelinhas aos que acumulam informações para o teste dominical e normatiza a busca desesperada da fortuita mensagem divina que salta de textos picotados.

Tais práticas não são reprováveis ou errôneas, apenas não estimulam a busca e o acesso pessoal de cada discípulo, além de reforçar a ideia de que a compreensão do texto bíblico está limitada a um seleto grupo de mestres e especialistas confinados aos redutos "acadêmicos", às salas dos encontros dominicais e aos púlpitos, que, por sua vez, reforçam a frequência ao templo e a dependência do evento institucional.

A nova reforma deveria contemplar o sonho dos reformadores mais ousados, que tiveram a coragem de colocar o texto nas mãos do povo comum, fazendo das ruas, praças, casas e encostas dos morros os lugares ideais para o eventual e formal encontro com Deus. Assim fez Pedro Valdo, ao pôr o texto bíblico nas mãos do povo "leigo", como a melhor e mais direta oportunidade de tornar Deus conhecido. O professor Wycliffe não deixou pedra sobre pedra no conceito templário, ao afirmar "O cristão não precisa de Roma ou Avinhão, pois Deus está em toda parte", crença que estimulou pessoas comuns a andarem dia após dia na presença de Deus.

Uma nova reforma seria capaz de nos levar para fora dos ambientes formais de reunião, livrando-nos do peso dos eventos para a leve e estimulante valorização da busca pessoal e íntima de cada discípulo pelo Deus que se revela a todo tempo e em todo lugar por meio das Escrituras, Palavra acessível, cujo mestre maior é o Espírito Santo, o autor que habita em nós. Palavra que promove um encontro diário e pessoal com Deus. Palavra capaz de nos levar à adoração e à restauração, além de nos conduzir ao mundo como autênticos mensageiros do evangelho de Jesus.

A célebre frase de Wycliffe, "Deus está em toda parte", torna-se a base da nova reforma que descentraliza o encontro com o Deus da Palavra, tornando-o acessível a todos em todo lugar, por meio do contato com as Escrituras ou na percepção do seu agir no cotidiano de cada discípulo, seja no vale, nos montes, na cidade, no interior, no deserto, na floresta, no trabalho, no lar, na escola ou no lazer. Deus pode ser encontrado por pessoas comuns, como o foi por Enoque, Noé, Abraão, Hagar, Moisés, Elias e muitos outros. "Vocês me procurarão e me acharão quando me procurarem de todo o coração" (Jr 29.13).

Assim, ampliamos a compreensão de que Deus é o Senhor da história e, como tal, à medida que usa circunstâncias e aspectos religiosos, ou não, vai reformando a sua Igreja no propósito único de fazer Cristo o Senhor de tudo e todos, usando como instrumento histórico a sua *ecclesia*, com toda a sua diversidade e as contrariedades típicas da sua composição humana.

E que a nova reforma transforme o manjar do clero em pão diário dos leigos.

3

Do lixo ao luxo: a teologia pentecostal e a construção do *self* na cultura brasileira

Braulia Ribeiro

A teologia pentecostal propõe a construção de um ego social baseado na noção de *imago Dei*, que corrobora valor individual e agência moral. Essa noção carrega fortes implicações psicossociais e culturais. Ao se encontrar com a cultura brasileira, a experiência religiosa pentecostal confronta paradigmas que comunicam limites sociais ao valor do *self* e propõe ao recém-convertido a reconstrução de sua noção de valor, bem como a possibilidade da invenção de um novo destino.

Teologia, cultura e sociedade

Quando falamos de cultura, não nos referimos somente a um maço de significados compartilhados por um grupo de pessoas. Cultura também é "maneira pela qual esses significados se estruturam em categorias e organizam o conhecimento de um grupo de pessoas".[1]

A teologia e os pressupostos culturais vivem em simbiose. O termo que melhor descreve esse conjunto complexo de conhecimentos foi proposto por Humboldt,[2] e dá nome ao guarda-chuva que define as categorias conceituais da cultura e as organiza: cosmovisão. A cosmovisão de uma sociedade é alimentada pela teologia de sua maioria religiosa. Em contrapartida, não existe teologia criada num vácuo cultural, ela tem de ser interpretada, digerida, sistematizada pelas categorias conceituais definidas pela cultura que a está propondo.

Cosmovisão brasileira e o valor do indivíduo

Roberto DaMatta[3] explica a concepção de individualidade (*self*) na cultura brasileira pelo contraste com o conceito americano e norte-europeu. Ele se refere a essa diferença conceitual com os termos *indivíduo* e *pessoa*. *Indivíduo* é a noção de *self* nas culturas de origem protestante, e *pessoa* é conceito das culturas tradicionais, incluindo a latino-americana. O indivíduo é o ser humano singular definido por suas características intrínsecas, com valor inerente e destino autogerido. DaMatta reconhece que essa noção de *indivíduo* nas culturas protestantes tem relação direta com o protestantismo. A ideia de *imago Dei*, com características intrínsecas, foi indelevelmente impressa nas sociedades de maioria protestante.

Nas culturas latinas, e especificamente no Brasil, o conceito de *self* refere-se não à pessoa em si, mas à pessoa como membro da sociedade. DaMatta chama esse construto cultural de *pessoa*. A *pessoa* é definida por suas características extrínsecas, tem seu destino ligado ao coletivo social. Seu valor é definido pelo estrato social a que ela pertence. A *pessoa* adquire valor pessoal por meio de sobrenome, dinheiro, bens que adquire, títulos acadêmicos ou importância social dos amigos que cultiva. Ela se define em relação ao coletivo e está presa ao seu sistema hierárquico, mas tem uma relação paradoxal com ele.

Na cultura de fala portuguesa, a sociedade é o algoz da *pessoa*. Sérgio Buarque de Holanda[4] descreve a sociedade ibérica como carente de coesão, um ambiente no qual o tecido social é inexoravelmente esgarçado pelo conflito entre interesses individuais e interesses coletivos. Holanda atribui esse individualismo ao excesso de valor pessoal. Eu gostaria de sugerir uma interpretação diferente. Se valor individual necessariamente causasse desintegração social, as culturas protestantes do hemisfério norte seriam as sociedades mais esgarçadas do planeta. Ao contrário, são sociedades coesas, com alto apreço pela pátria, marcadas por maior compromisso do indivíduo com o bem-estar coletivo. Nessas culturas, o indivíduo existe com valor independente da sociedade, mas deve a ela sua presença, seu trabalho, sua responsabilidade. Assim, sua liberdade está prescrita pelo código moral da coletividade. Ele é *accountable* à sua sociedade.

Culturas humanas são mecanismos complexos, nos quais relações causais entre conceito e comportamento não são claras. A meu ver, o que influencia o esgarçamento do tecido social não é o excesso de valor pessoal, mas a falta dele. As sociedades que funcionam com a noção de *pessoa*, como define DaMatta, como centro, restringem a noção de valor pessoal à autoridade do coletivo: eu não construo o coletivo, mas é o coletivo que me define. Como indivíduo solitário, meu papel é trabalhar para o meu benefício, porque, se eu não cuidar de mim, ninguém mais cuida.

Como a língua é a ferramenta da cultura e representa os conceitos da cosmovisão cultural, podemos entender por que a língua portuguesa não tem palavra para o conceito *accountability*, presente nas culturas anglo-saxônicas, por exemplo. Essa palavra da língua inglesa define a relação do indivíduo com o coletivo, e não tem um termo análogo em português ou espanhol. Ao tentar traduzi-la em português, ficamos com versões pobres, como a expressão "prestação de contas", que no português se refere a um ato pontual e voluntário, que não inclui a noção de virtude. Já a palavra *accountability* é um substantivo que descreve não um ato, mas uma maneira de ser, e traz em si a noção implícita de virtude.

No Brasil, se eu exijo de alguém a prestação de contas, estou desconfiando dela. A atitude "virtuosa" estaria na confiança cega e não em um estado de responsabilidade mútua. Se tenho de prestar contas a alguém, sinto-me sob escrutínio, humilhada. Quando dizemos em português "eu sou responsável", também estamos dizendo "não precisa me vigiar". Essa noção é oposta à de *accountability*, mas descreve perfeitamente a relação paradoxal da *pessoa* com o coletivo. O brasileiro tem necessidade de desafiar o institucional para afirmar sua individualidade. Holanda observa que o individualismo ibérico exacerbado, reproduzido depois no Brasil, tem origens teológicas.[5] O aspecto clerical do catolicismo romano propõe uma visão de mundo hierárquica, que ajuda na construção do conceito de *pessoa* em todas as colônias portuguesas e espanholas.

A alternativa oferecida pela teologia pentecostal

Um tema comum às várias versões do pentecostalismo é a liberdade. Essa noção de liberdade pessoal como essência da existência religiosa deriva-se diretamente da interpretação literal de versículos bíblicos como: "O vento sopra onde quer, e ouves a sua voz; mas não sabes donde vem, nem para onde vai; assim é todo aquele que é nascido do Espírito" (Jo 3.8).

A liberdade do Espírito dá ao indivíduo um novo começo. O convertido é impelido a abraçar um protagonismo na sua história pessoal e a transpor barreiras culturais, raciais e econômicas que antes poderiam lhe parecer inexoráveis. A capacidade da experiência pentecostal de imprimir ao devoto uma noção de liberdade e valor pessoal que supera as limitações culturais do contexto social se faz óbvia na jornada de Parham, Seymour e seus convertidos, que iniciaram a missão pentecostal da rua Azuza narrada por Gastón Espinosa.[6]

Seymour aprendeu a doutrina e a prática pentecostais por meio do supremacista branco Charles Fox Parham. Apesar do momento de tensão racial alimentada pela violência da Ku Klux Klan, da segregação imposta pela leis apelidadas de Jim Crow e de suas próprias convicções supremacistas, Parham entendeu que não poderia impedir que outros recebessem o poder do Espírito Santo e permitiu que Seymour frequentasse a igreja, desde que se sentasse fora do salão principal.

Depois, Seymour viajou para Los Angeles especificamente para começar um centro de pregação da nova doutrina. Com jejum, oração e muita expectativa, o Espírito "desceu" sobre um pequeno grupo que Seymour havia conseguido reunir na cidade. Novamente a força da fé se revelou maior que as barreiras culturais. Latinos, índios, negros e brancos convergiram para a recém-fundada missão pentecostal, na rua Azuza. As narrativas sobre as reuniões inspiraram Gastón Espinosa e Daniel Ramírez[7] a chamar o movimento de "subversivo e transgressor". Negros, latinos "chicanos" e indígenas mexicanos encontraram na nova religião uma afirmação pessoal que não receberam em seu contexto social. Essa afirmação se materializou na cura divina e no dom de variedade de línguas, visto por todos como um selo do encontro pessoal com o divino. As características dos frequentadores da missão demonstram a transgressão dos padrões sociais da época, "uma mistura extraordinária poliglota, multirracial e multigênero".[8]

Do lixo ao luxo, o pecador descobre-se redimido

Dois elementos importantes definem a conversão pentecostal. A percepção de miséria pessoal, o fundo do poço, na narrativa pentecostal frequentemente precede a conversão em si. Essa percepção de impotência pessoal, de ter chegado ao final de suas forças é comum nas narrativas de conversão. Outro ponto é a percepção de valor pessoal que a substitui. O momento de constatação de impotência é seguido pela convicção de se tornar especial aos olhos de Deus. Essa convicção é afirmada pela experiência espiritual do recebimento do *charisma*, do dom de variedade de línguas ou da cura divina. Na doutrina do pentecostalismo arminiano, a salvação eterna não é obtida de uma vez por todas. Ela depende de uma vida de consagração e obediência ao Espírito. O resgatado que agora vive no "luxo" de uma vida de comunhão com Deus pode voltar ao lixo da perdição pessoal se não for diligente com o dom que recebeu.

'Imago Dei', a descoberta da agência moral

A mudança de nome em algumas circunstâncias é um símbolo importante da transformação do *karma* individual não escolhido em destino alcançado na força da fé e do esforço pessoal. Um exemplo são as conversões, descritas por Brenneman, de membros de gangues na América Central. [9] A substituição do nome usado na gangue pelo nome de batismo ou familiar era um marco cultural essencial na vida dos recém-convertidos. No Brasil, a conhecida atriz Darlene Glória mudou de nome ao se converter ao pentecostalismo, na década de 1980, tornando-se Helena Brandão. A atriz, perseguida pelo *karma* da fama e da vida de consumo de drogas, sentiu necessidade de mudar de nome para recuperar a possibilidade de um destino debaixo de seu controle e do de Deus. Podemos dizer que a grande descoberta da conversão é a agência moral, esse é o "novo nome" descoberto pelo crente.

A liberdade como lugar teológico

A teologia luterana criou a cosmovisão que gerou o conceito social de *indivíduo*. Quando Lutero propõe a salvação como um ato de fé pessoal, para o qual o ser humano não precisa se qualificar, por obras ou posição social, ele inaugura a era do valor individual. Esse é o ponto comum entre a teologia pentecostal e a luterana, o homem livre com valor intrínseco é um conceito teológico.

Lutero vê o pecado como o padrão humano, e esse pecado significa a separação de Deus e da possibilidade de ser livre para seguir o plano divino. A partir da ação da graça de Deus, podemos ser salvos para a liberdade em Cristo e, aí sim, podemos escolher o bem. Para Lutero, o homem em pecado é o mesmo do pentecostalismo: escravo do mal, incapaz de agir por si mesmo se não for resgatado pela experiência do Espírito.

Diferente de Calvino, cuja ideia de soberania divina incluía um controle divino total sobre as escolhas humanas, Lutero admite que podemos rejeitar a salvação. Ele não acredita que podemos escolher salvação, porque, nesse caso, a escolha seria meritória e, portanto, gerada por obras, não por graça. Mas temos a prerrogativa final sobre a graça. Podemos rejeitar a graça porque essa possibilidade está dentro do domínio de nossa liberdade para escolher o mal.

No pensamento de Lutero, a liberdade para o bem só existe em Cristo. Em Cristo somos absolutamente livres, mas essa liberdade nos conduz a servir a todos. "O cristão é um senhor livre de tudo, a ninguém sujeito [e] é um servo dedicado a tudo, a todos sujeito".[10] A versão pentecostal dessa teologia é fácil de estipular: a liberdade para o pentecostal existe na dimensão do Espírito. É pelo Espírito que o convertido encontra a redenção de sua identidade aleijada pelo pecado e a oportunidade de um novo destino. O batismo no Espírito Santo é a coroação máxima dessa experiência.

Conclusão

O conceito de *imago Dei*, como é traduzido na experiência pentecostal, atribui a todos valor igual. A noção de que seres humanos têm dignidade intrínseca é talvez a maior contribuição do cristianismo à cultura ocidental, na fé pentecostal, é exacerbada pela experiência de confissão na fé e salvação e batismo no Espírito Santo.

O crente passa a ver a si mesmo como tendo valor intrínseco a partir de sua experiência pessoal com Deus. Ele entende que, por causa do Criador, as criaturas nascem com valor, não importam posição social, capacidade econômica, perfeição física, inteligência. A verdadeira igualdade humana tem, necessariamente, de admitir uma origem e um valor comum a todos. E é isso que a *imago Dei*, transmitida também por meio da experiência pentecostal, comunica. Essa concepção dá origem a uma cosmovisão do valor próprio e do valor social que confronta diretamente a cultura brasileira.

4

Missão quase impossível

Ciro Sanches Zibordi

Tenho participado de painéis e debates sobre a situação da igreja brasileira nos quais ouço com certa frequência a afirmação de que só experimentaremos um reavivamento quando nos submetermos a uma ampla e profunda reforma, da qual emergiria um evangelicalismo mais ético e verdadeiramente evangélico.

A despeito de a Reforma Protestante, maior movimento da igreja depois do Pentecoste, ser incomparável e única quanto a seus efeitos abrangentes e duradouros, expoentes do evangelho concordam que uma nova reforma, para ser, de fato, efetiva, precisaria considerar a mensagem, a conduta e a postura dos reformadores. Estes se opuseram firmemente à infalibilidade papal, às indulgências, às relíquias, ao conceito de purgatório, ao confessionário, à salvação pelas obras, à veneração de Maria, à mediação dos santos e às imagens, entre outros aspectos.

A Reforma não começou com uma tomada de posição do alto clero mas, sim, com a postura intrépida de monges católicos inconformados com a exploração dos leigos. Naquele tempo, só havia uma igreja reconhecidamente cristã, a imponente Igreja Católica Apostólica Romana, e, embora houvesse cristãos que resistissem aos dogmas papais, sobretudo entre os clérigos, eles não ousavam se manifestar, até que Lutero e outros reformadores resolveram fazê-lo. Podemos esperar, hoje, que famosos líderes de grandes denominações evangélicas estejam dispostos a empreender uma reforma, ou ela também começará com o protesto de pregadores e escritores pouco conhecidos?

Embora os reformadores não tenham impedido a expansão do romanismo, seu trabalho fez emergir um neocristianismo — compromissado, de fato, com o genuíno evangelho —, novo principalmente para o povo que vivia sob os dogmas papais, sem acesso às Escrituras. O que há de errado com o modelo atual de cristianismo, advindo supostamente da Reforma, que tanto incomodou o poder papal? O problema é que a comunidade evangélica se tornou uma "colcha de retalhos", dividindo-se e subdividindo-se, a despeito de continuar crescendo muito. Hoje, vemos desvios tão graves quanto os verificados no século 16. E, se precisamos nos posicionar eficazmente contra isso, o que, de fato, podemos fazer, considerando que a reforma do evangelicalismo só pode ser feita a partir dele mesmo?

Diante de tantas denominações e variados estilos de liderança, parece não haver sentido em propor uma reforma padronizadora, visto que ela dependeria de unanimidade pelo menos no âmbito teológico. Nesse caso, antes de tudo, seria necessário distinguir entre igrejas verdadeiramente evangélicas e pseudoevangélicas, o que não seria nada fácil. Em seguida, as lideranças dispostas a mudar precisariam abraçar, sem restrições, os cinco lemas da Reforma, o que, de imediato, além de excluir o catolicismo romano (que jamais teve a Bíblia como fonte primária de autoridade), geraria uma grande discussão entre as igrejas que se dizem fiéis às Escrituras.

Ainda que seja inexequível uma reforma nos moldes da ocorrida nos dias de Lutero, Calvino e Armínio, esse desafio deve ser encarado com otimismo por todos que desejam experimentar o esperado reavivamento do multifacetado evangelicalismo brasileiro. A nova reforma abarcaria, em última análise, várias reformas, haja vista cada denominação evangélica ter o seu próprio perfil teológico-eclesiástico-consuetudinário. Um conserto geral, englobando todas as denominações compromissadas com a Bíblia, só poderia ser feito a partir do aspecto teológico, isto é, do conteúdo da pregação, visto que é impossível mudar, padronizar ou melhorar sistemas de governo, usos, costumes e liturgias de cada denominação.

O título da nova reforma poderia ser *Reforma teológica*, que, assim como a primeira, deveria reafirmar os cinco *solas*. Todas as igrejas seriam desafiadas a assumir um compromisso com a Palavra de Deus e com o Deus da Palavra, observando os cinco pontos defendidos pelos reformadores:

Sola Scriptura. Na pós-modernidade, o evangelicalismo vem se tornando cada vez mais emocional, quase místico, e a Bíblia tem perdido a primazia na liturgia e na prática cristãs. Ao dizer "somente a Escritura", os reformadores, além de defender a autoridade e a suficiência da Palavra do Senhor, protestavam firmemente contra a infalibilidade do papa e seus falaciosos dogmas. O compromisso com o primado da Palavra do Senhor denota reconhecer que a Bíblia é plenamente inspirada por Deus, bem como nossa principal fonte de autoridade e regra de fé, prática e vida (2Pe 1.21; 2Tm 3.16-17).

Sola Fide. Para boa parte do evangelicalismo, influenciada pelos "mestres" da confissão positiva, a fé se tornou mera força promotora de milagres: a fé na fé. Na percepção de Lutero, ela era o elemento soteriológico fundamental que se contrapunha à salvação pelas obras. Os reformadores pregavam corajosamente que o meio de receber a salvação não eram as indulgências, mas apenas a fé em Jesus Cristo (Gl 2.16; Rm 10.9-10).

Sola Gratia. Na contemporaneidade, há muitas pessoas dentro dos templos com a Bíblia na mão, mas que ainda não se convenceram de que a salvação se dá apenas pela graça de Deus. Para os reformadores, a salvação jamais poderia ser obtida por meio das obras, e o "somente a graça" foi uma clara reação ao romanismo, que pretensamente vendia a salvação e outras bênçãos outorgadas exclusivamente pelo Deus de toda a graça (Tt 2.11; Ef 2.8-10).

Solus Christus. Nossa mensagem e nosso culto devem ser cristocêntricos, a despeito de vivermos dias em que o evangelicalismo está cada vez mais antropocêntrico. "Somente Cristo" foi a expressão usada pelos reformadores para rechaçar qualquer outro tipo de mediação entre Deus e os homens e reafirmar que a sua mensagem era centrada em Jesus Cristo, nosso único e suficiente Senhor e mediador (Jo 14.6; 1Tm 2.5).

Soli Deo Gloria. O papa era adorado pelos fiéis católicos como se fosse Deus, e os reformadores confrontaram essa conduta errônea pregando que a glória pertence apenas a Deus (Mt 4.10). As estruturas eclesiásticas de poder estabelecidas pelo evangelicalismo não têm priorizado a glória do Senhor, e são muitos os títulos empregados para ressaltar o endeusamento tácito do ser humano — como "bispo primaz", "apóstolo" e "patriarca". Cristãos compromissados com a Palavra de Deus e com o Deus da Palavra devem condenar a egolatria prevalecente no meio evangélico (Sl 138.6; 1Pe 5.5-6).

Unidos contra as heresias

Como Lutero, os neorreformadores devem formular teses específicas que condenem heresias contidas em pregações da pós-modernidade. Mas, como chegar a um consenso quanto ao que é certo ou errado, se ainda existe muita divergência em relação às doutrinas bíblicas? Há que se distinguir as heresias de perdição que se contrapõem ao plano salvífico estabelecido por Deus dos ensinamentos que, embora controversos e passíveis de crítica, não tornam igrejas e seus pregadores necessariamente heréticos. Lembremo-nos de que a Reforma Protestante não foi simplesmente um movimento de ruptura com o romanismo, mas, sim, a implementação de uma lógica que visava ao restabelecimento da espiritualidade e da estrutura eclesiásticas de acordo com as Escrituras.

Podem até ser proveitosos os debates equilibrados, como os que ocorrem entre cessacionistas e continuacionistas, calvinistas e arminianos, e amilenaristas e pré-milenaristas. Entretanto, esses grupos contribuiriam muito mais para o reino de Deus se todos se unissem com o objetivo de rechaçar heresias como o universalismo, o antropocentrismo, o unicismo, a teologia da prosperidade, a confissão positiva e tantos outros ensinos de perdição que depõem contra o evangelho da salvação. Um cristão que abraça o monergismo ou o pré-milenarismo, por exemplo, continua sendo cristão, o que não pode ser dito de um universalista ou unicista.

Uma reforma que envolva diferentes denominações não exige que seus membros pensem, necessariamente, de modo igual. Basta que haja tolerância quanto ao que não é fundamental e fidelidade ao que é essencial no evangelho. Alguns expoentes calvinistas e arminianos têm dado demonstração de que a reforma do evangelicalismo é viável. Ao se unirem em prol da defesa do evangelho, asseveram — acertadamente — que monergismo e sinergismo não são heresias, e sim visões soteriológicas distintas, visto que ambos os segmentos creem que a salvação ocorre exclusivamente pela graça de

Deus. O mesmo se aplica a cessacionistas e continuacionistas, que, embora interpretem de modo diferente as ministrações do Espírito Santo, seguem fielmente os cinco lemas da Reforma Protestante.

Negar a salvação em Cristo ou a obra do Espírito são condutas heréticas, mas o mesmo não se aplica aos que defendem a ideia de que a regeneração ocorre antes ou depois de arrependimento e fé, nem aos que ensinam que o batismo no Espírito faz parte da salvação ou é um revestimento de poder. O fato de tradicionais e pentecostais, calvinistas e arminianos ou, ainda, cessacionistas e continuacionistas discutirem suas diferenças não os põe em lugares opostos. Afinal, eles têm a certeza, concedida pelo Espírito (Rm 8.16-17), de que fazem parte do mesmo corpo, haja vista terem sido alcançados pela graça de Deus e perseverarem no evangelho (1Co 15.1-2; 2Co 11.3-4).

Na segunda metade do século 20, a hegemonia evangélica passou das igrejas tradicionais históricas — como Presbiteriana, Batista, Luterana e Metodista — para as pentecostais, sobretudo a Assembleia de Deus, que hoje também tem sido chamada de histórica, dados seus mais de cem anos de existência. O pentecostalismo, que foi tão criticado pelos tradicionais, sobretudo por causa do "misticismo", fragmentou-se ao extremo ao longo de sua história e já não cresce tanto como outrora. Quanto aos tradicionais, passaram a ver com melhores olhos os pentecostais clássicos. Juntos, eles têm refutado as heresias e os modismos propagados pelo neopentecostalismo, movimento que se caracteriza pela heterodoxia.

Com o surgimento das denominações neopentecostais, a partir dos anos 1980, houve grande explosão numérica do evangelicalismo. Essas comunidades queriam tornar, a princípio, o pentecostalismo "mais atraente", principalmente quanto a usos e costumes. Foram, todavia, além disso e acabaram por pregar falsos evangelhos, apresentando a incautos o que eles *querem*, e não o que *precisam*. A teologia da prosperidade e a confissão positiva, tão combatidas por apologistas tradicionais e pentecostais, são duas das principais heresias de perdição propagadas pelo neopentecostalismo.

Não vai aqui nenhuma depreciação às igrejas fundadas recentemente. Nossa abordagem leva em consideração que entre elas há denominações compromissadas com o evangelho. Mas, em sua maioria, especialmente as grandes igrejas, são as chamadas "emergentes" e "inclusivas", "para quem não gosta de igreja", as quais não prezam o evangelho e contribuem para o crescimento do número de evangélicos que sequer sabem o que foi a Reforma. Quase todas as igrejas neopentecostais têm um perfil teológico-eclesiástico-consuetudinário que se ajusta às filosofias prevalecentes na pós-modernidade, como pragmatismo, relativismo, multiculturalismo, hedonismo e antropocentrismo, o que é muito danoso ao reino de Deus, descentraliza Cristo e despreza o primado das Escrituras.

A nova reforma, por conseguinte, deve ter como objetivo salvaguardar o conteúdo do evangelho, sendo prioritariamente teológica, ainda que possa sugerir melhorias nos campos eclesiástico e consuetudinário. Como o Senhor Jesus ensinou que o caminho e a porta para a salvação são estreitos (Mt 7.13-14), é inútil tentarmos alargar a entrada para os pecadores, uma vez que o caminho continuará estreito. Ou seja, de que adiantaria larguear a passagem, oferecendo ao pecador facilidades, tornando as igrejas inclusivas ao máximo, se o Mestre quis dizer, na verdade, que a vida cristã envolve renúncia e obediência? Não há como negociar o inegociável (Lc 9.23; Hb 5.9).

Nossa missão é muito difícil e desafiadora, mas nós, líderes, ensinadores e pregadores, precisamos ter consciência de que fazemos parte do mesmo corpo. Ademais, as consequências desse novo conserto serão boas para a Igreja e para a sociedade. Ele contribuirá, sem dúvida, para o surgimento de um evangelicalismo mais forte, que prega verdadeiramente o evangelho e exerce boa influência sobre os não cristãos. Lembremo-nos, pois, de que a nova reforma somente logrará êxito se nos pusermos no caminho, tivermos visão e perguntarmos pelas "veredas antigas" (Jr 6.16). Afinal, "é já hora de despertarmos do sono; porque a nossa salvação está agora mais perto de nós do que quando aceitamos a fé" (Rm 13.11).

5

A Igreja reformada de volta à Reforma

Durvalina Bezerra

Movimentos reformistas sempre aconteceram ao longo da história. A nação de Israel passou por várias reformas, como as ações promovidas por Josias, Neemias, Esdras, Zorobabel e outros. Na história da Igreja cristã não é diferente. Entre outras tantas, a Reforma Protestante foi a principal.

> A reforma luterana difundiu-se rapidamente no Sacro Império, sendo abraçada por vários principados alemães. Isso levou a dificuldades crescentes com os principados católicos, com o novo imperador Carlos V (1519-1556) e com o parlamento (Dieta). Na Dieta de 1526, houve uma atitude de tolerância para com os luteranos, mas em 1529 a Dieta de Spira reverteu essa política conciliadora. Diante disso, os líderes luteranos fizeram um protesto formal que deu origem ao nome histórico, protestantes.[1]

Refiro-me ao termo "reforma" como restauração de algo com o objetivo de voltar a assemelhar-se ao seu modelo original. Devido a fatores externos e internos, o que havia no princípio acaba se desvirtuando, levando, então, à necessidade de um processo de restauração. Sobre as más influências internas no que diz respeito ao contexto da Igreja cristã, às quais vou me ater nesta breve reflexão, percebe-se que apareceram já nos primeiros séculos. Para constatar isso, basta ler os textos dos polemistas, homens que escreveram contra as heresias surgidas no seio da Igreja desde a sua origem.

Se quisermos combater os desvios de hoje, entendo ser necessário, fundamentalmente, voltar os olhos para os primórdios da Igreja, quando homens como Irineu de Lião, Clemente de Alexandria, Orígenes, Tertuliano de Cartago, Cipriano de Cartago e Hipólito de Roma combateram com maestria os desvios de sua época, denunciando os erros, com base nos escritos sagrados. Embora o cânon bíblico ainda não tivesse sido oficialmente fechado, seus escritos já eram considerados norteadores da Igreja, servindo de base para suas críticas.

Nesse retorno ao passado, perceberemos que alguns dos erros contemporâneos da Igreja podem ser encontrados já nos seus primórdios, como as tendências judaizantes dos ebionistas, o liberalismo moral dos nicolaítas, o rigor legalista donatista, os exageros carismáticos montanistas, e demais desvios teológicos presentes em Cerinto, Marcião, Sabélio e Ário, por meio de crenças modalistas e subordinacionistas causadas por outros tantos nomes, os quais promoveram sérios desvios doutrinários da sã ortodoxia.

Claro que os tempos são outros, a doutrina encontra-se mais claramente sistematizada, e os fatores complicadores dos desvios também se intensificaram e adquiriram novo significado. É fato que a Igreja cristã é uma instituição humana que se estabelece dentro de normas institucionais, éticas e jurídicas. Ela também é o Corpo místico de Cristo, aquela que o Senhor receberá em glória e sem mácula. Infelizmente, a instituição humana tem se desgastado, sofrendo degeneração por causa da má conduta humana e das influências do contexto sociocultural em que está inserida.

Outro fator relevante a ser considerado sobre uma proposta de reforma eclesiástica é que uma reforma religiosa não nasce a partir do nada, como comprova a história. Percebe-se que, para que aconteça uma restauração da sã doutrina e da prática cristãs, há, de certo modo, uma inquietação coletiva. No caso da Reforma Protestante, embora algum nome possa se destacar, muitas pessoas pensaram e se posicionaram contra os desvios denunciados por vozes que decidiram firmemente não se calar, como os pré-reformistas Jan Hus, João Wycliffe e Jerônimo Savonarola. Eles se inquietaram com o quadro degradante em que se encontrava a vida moral dos líderes religiosos de seu tempo, somado ao acúmulo de riquezas, à ingerência da igreja romana no Estado e à incompatibilidade dos dogmas eclesiásticos em relação às Escrituras.

No século 16, as decisões da igreja romana, sob as ordens papais, não consideravam as Escrituras. Além disso, a tradição tinha o mesmo peso de valor doutrinário. Ler o texto bíblico, à época predominantemente em latim, era permitido apenas às autoridades eclesiásticas. O povo ignorante não tinha como conhecer a Palavra. A verdade, porém, se sobrepôs ao erro e aos desvios da fé cristã. Assim, foi o próprio texto bíblico o responsável por provocar toda a indignação.

Para entender as questões que levaram o monge alemão Martinho Lutero a agir como agiu, basta ler suas 95 teses, afixadas na porta da igreja do castelo de Wittenberg em 31 de outubro de 1517. Lutero denunciou os desmandos do papa, especificamente o de perdoar pecados e extorquir os fiéis com suas doutrinas espúrias, como a do purgatório, que promoveu o comércio das indulgências. Essa prática fez as pessoas acreditarem que podiam comprar da igreja a salvação para vivos e mortos.

Era necessária uma reforma.

Leitura crítica

Se quisermos estabelecer uma reforma na Igreja atual, devemos ser capazes de ler nosso tempo à luz das Escrituras, como ocorreu no século 16, com a Reforma Protestante. O próprio texto bíblico denunciará a necessidade de uma reforma e, a partir disso, nascerá uma inquietação santa para restabelecer a verdade divina, tanto na ortodoxia como na ortopraxia, destituída de conceitos e métodos humanos em desacordo com nossa regra normativa. Precisamos fazer uma leitura crítica da situação da Igreja contemporânea e propor uma reforma bíblica. Como afirmou Lutero: "Igreja reformada tem de ser constantemente reformada".[2]

Para isso, devemos relembrar os cinco *solas* da Reforma Protestante: *Sola Scriptura, Solus Christus, Sola Gratia, Sola Fide, Soli Deo Gloria*, que condensam em cinco pontos a fé reformada. No entanto, nos deteremos apenas no primeiro deles: *só a Escritura*. O grande marco da Reforma Protestante foi trazer de volta o conhecimento do texto bíblico como doutrina fundamental da Igreja e colocá-lo na centralidade do culto cristão. Somos herdeiros desse legado, na tentativa de construir a história do protestantismo brasileiro sob a égide das Escrituras.

Contudo, em contrapartida, quando o texto sagrado não é devidamente estudado, considerando regras fundamentais de interpretação, torna-se uma arma nas mãos daqueles que o violentam para fundamentar seus devaneios e suas megalomanias, alienando e oprimindo a fim de legitimar seus ministérios.

Hoje, encontramos diversos desvios na igreja brasileira, como a teologia da prosperidade, o fundamentalismo e o liberalismo teológico, ideologias que focam uma verdade em detrimento de outra, ou ensinamentos apenas de uma parte da verdade, como a teologia feminista, a teologia do negro e a teologia do pobre. O pior é que os erros acontecem com a Bíblia aberta. Por isso, considero que o grande problema da Igreja é de cunho exegético-hermenêutico.

Aplicação prática

A Igreja evangélica no Brasil experimentou um crescimento extremamente rápido entre os anos de 1970 e 1980, com um salto de 150%, maior que o crescimento por natalidade no país. As lideranças, porém, não estavam preparadas para esse avanço. Surgiu uma avalanche de pastores, pastoras, bispos, apóstolos e outros líderes sem nenhum preparo bíblico-teológico, que passaram a pregar e ensinar o rebanho interpretando o texto a seu bel-prazer, afirmando convicções pessoais e fazendo das suas experiências normas da fé cristã.

Constatamos com tristeza outra adulteração da verdade quando os modelos de crescimento da Igreja se confundem com métodos de produtividade do mundo corporativo e empresarial. Ouvi um líder de uma grande igreja pela rádio dizendo abertamente: "Se você deseja saber como fazer sua igreja crescer, venha fazer *marketing* comigo, não precisa ir a nenhum seminário". Que lástima! Precisamos voltar às Escrituras!

Lutero escreveu: "Reforma é uma oportunidade ímpar para rever qualquer desvio não só de comportamento, mas também de ordem dogmática".[3] Há púlpitos que prezam pelo conhecimento da verdade divina, onde se prega e se ensina sistematicamente a Palavra de Deus; porém, não tornam a Palavra escrita em Palavra viva. A falta de aplicação do texto sagrado impede que o rebanho ponha em prática aquilo que ouve. Ele sabe a verdade, torna-se conhecedor da doutrina cristã e pode até vir a ser um teólogo erudito, mas não há mudança de comportamento. Com isso, a Palavra fica apenas no nível da lógica argumentativa e da razão, sem descer ao coração. Ignora-se a ação livre e poderosa do Espírito Santo, o mesmo que inspirou a Palavra escrita, o único que é capaz de tornar a verdade "carne na nossa carne e sangue em nosso sangue" (Jo 6.53-57).

Martyn Lloyd-Jones declara: "Pregar e não aplicar a Palavra é pecado".[4] Não basta saber, é necessário aprender e seguir aprendendo. Um dos princípios da pedagogia conclui que só há aprendizagem quando há transformação. Se o conhecimento não é trazido para o cotidiano, torna-se apenas conceitual e sem eficácia. "À medida que a autoridade bíblica foi abandonada na prática, que suas verdades se enfraqueceram na consciência cristã e que suas doutrinas perderam sua proeminência, a igreja foi cada vez mais esvaziada de sua integridade, autoridade moral e discernimento".[5]

Deixamos de influenciar a sociedade quando deixamos de ser sal que preserva a justiça, o direito, o amor, as virtudes e os valores do reino de Deus. Deixamos de ser luz quando paramos de revelar os enganos e as mentiras das religiões e das ideologias da pós-modernidade; quando deixamos de denunciar a depravação, a imoralidade e a corrupção. Como, porém, ser sal e luz na comunidade se dentro da igreja não temos tratado o pecado? Não confrontamos, não exortamos, não repreendemos usando a autoridade que a Palavra nos dá para isso (2Tm 3.15). Os pregadores substituíram a Palavra por mensagens de autoajuda, pensamentos positivos e promessas sem consistência bíblica. Até na hora da ceia substituímos o exame introspectivo que leva à confissão dos pecados por celebração. É tempo de uma reforma que leve a Igreja a viver novamente a verdade bíblica dentro e fora dela.

Precisamos de uma reforma para que a Igreja volte às Escrituras, tanto para estudá-la e ensiná-la quanto para colocá-la em prática, como fez o escriba Esdras: "Pois Esdras tinha decidido dedicar-se a estudar a Lei do Senhor e a praticá-la, e a ensinar os seus decretos e mandamentos aos israelitas" (Ed 7.10).

Senhor, dá-nos uma liderança comprometida só com as Escrituras!

6

Nada a reformar, tudo a celebrar

Ed René Kivitz

Uma nova reforma da Igreja implica acreditar que existe algo a ser reformado. Para que se empreenda uma nova reforma, é preciso partir da premissa de que é possível identificar uma instituição, ou alguma realidade indivisível, capaz de conter, em termos de representatividade histórica, a totalidade do evangelho do reino de Deus revelado por Jesus de Nazaré.

A chamada Reforma Protestante do século 16 abordou questões próprias da estrutura hierárquica e doutrinária teológica da Igreja Católica Apostólica Romana. Mas a Igreja profetizada e prometida por Jesus Cristo — καὶ ἐπὶ ταύτῃ τῇ πέτρᾳ οἰκοδομήσω μου τὴν ἐκκλησίαν, isto é, "sobre esta pedra edificarei a minha igreja" (Mt 16.18) — jamais ficou restrita ao catolicismo apostólico romano, cuja origem remonta ao período da discutida conversão do imperador romano Flavius Valerius Aurelius Constantinus, nos idos do ano 325. A *ecclesia* de Jesus Cristo já existia antes, continuou a existir depois de Constantino e existirá para sempre. A *ecclesia* de Jesus Cristo era antes, é hoje e será depois do catolicismo romano, depois de todas as expressões do protestantismo originário da Reforma e de toda a diversidade religiosa que pretenda se legitimar sob o nome de Jesus Cristo.

O movimento que deu origem ao protestantismo, em suas diferentes formas, foi, portanto, um acontecimento localizado em uma das expressões históricas dentre tantas outras que pretenderam tomar para si a representatividade, quiçá exclusiva, do que Jesus chamou "minha igreja". Jamais existiu algo como um "cristianismo oficial". O derramar do Espírito Santo sobre "toda carne" naquele Pentecoste relatado em Atos deu origem a centenas de milhares de comunidades cristãs rumo aos confins da terra, as quais formam um mosaico maravilhoso do que sociologicamente podemos chamar de "cristianismos".

Passados dois mil anos da morte e da ressurreição de Jesus Cristo, ao comemorarmos quinhentos anos da Reforma Protestante, urge perguntar: reformar o quê? Uma nova reforma para a igreja? Mas de que igreja estamos falando? Estamos falando ainda da Igreja Católica Apostólica Romana em nossos dias? Estamos falando das denominações protestantes históricas — batistas, presbiterianos, metodistas, luteranos, congregacionais? Ou estamos nos referindo à Igreja Anglicana, "a mais católica entre as protestantes e a mais protestante entre as católicas"? Ou, ainda, nos referimos ao pentecostalismo clássico, hegemonicamente representado pelas diversas Assembleias de Deus? Ou será que está em foco o neopentecostalismo, com seus poucos mais de cinquenta anos de presença no radar das igrejas nomeadas evangélicas?

Ainda que fosse possível escolher uma das expressões históricas da Igreja de Jesus como representativa da manifestação original da *ecclesia* de Jesus resultante da multidão convertida mediante o testemunho dos primeiros apóstolos, no primeiro século da era cristã, falaríamos dessa igreja/denominação conforme sua manifestação em qual dos continentes?

A inteligência reformada é suficientemente capaz de superar a ingenuidade de acreditar que um organismo vivo, como a Igreja de Jesus, é imune às afetações dos solos onde brota a santa semente. A África, a Ásia, a Europa, as Américas e a Oceania geram em seu ventre cristão igrejas que vivem, na mesma intensidade, tanto a unidade espiritual possível única e exclusivamente pelo Espírito Santo quanto a diversidade cultural que existe desde Babel.

Façamos, portanto, um recorte. Falemos dos batistas ou dos presbiterianos. Ou mesmo dos pentecostais ou dos neopentecostais brasileiros. Para onde devemos olhar quando pretendemos responder a questões como: quais os paralelos possíveis no cenário religioso entre o Brasil de hoje e a Europa do século 16? Ou, quais os principais desvios e urgentes correções e mudanças que se exigem, hoje, da Igreja? Para responder a essas questões, vamos pensar a respeito da Igreja Presbiteriana do Brasil no Nordeste, ou da Igreja de Confissão Luterana no Rio Grande do Sul? Pensamos sobre os batistas da Convenção Batista Brasileira ou da Convenção Batista Nacional, regulares ou independentes? Ou focaremos nos diferentes ministérios das Assembleias de Deus no Brasil?

Um pouco de história

Não há nada que reformar. Não há nova reforma a ser feita. Pela simples razão de que não existe uma expressão histórica, social e cultural que detenha o monopólio da representatividade da Igreja que Jesus Cristo edificou sobre si mesmo, sendo ele próprio, "a principal pedra de esquina, a pedra angular" sobre a qual a Igreja está edificada. A inexistência da perpetuação da expressão original, única e legítima da Igreja edificada sobre a pedra implica, por óbvio, que não existe, portanto, o que reformar.

Desde as sete igrejas da Ásia, a quem Jesus Cristo, vivo e ressurreto, endereçou suas cartas registradas pela pena do apóstolo João em Apocalipse, todas as comunidades cristãs que ganharam forma e ocuparam o tempo e o espaço foram expressões imperfeitas da "Igreja edificada sobre a pedra". Cada uma a seu tempo, cada uma a seu modo, foi uma tentativa de tornar realidade a utopia comunitária do reino de Deus, que, inaugurado na história, será consumado na eternidade, no que chamamos "novo céu e nova terra".

Sendo verdadeiros esse raciocínio e esse veredito, podemos chegar a outra afirmação, contrária à primeira. Aquela dizia que nada há para reformar. Esta dirá que tudo há que ser reformado. E então teremos dado uma volta completa e chegado à mais elementar afirmação da Reforma Protestante do século 16, cunhada por Martinho Lutero: *Ecclesia reformata semper reformanda,* "Igreja reformada sempre se reformando".

Eis a razão por que temos tudo a celebrar. A Reforma Protestante foi esse marco histórico que anunciou e demonstrou que nenhuma organização/instituição religiosa humana será capaz de conter a totalidade do evangelho do reino de Deus. A Reforma Protestante deve ser celebrada porque reverbera na história a revelação de que "há um só Deus, e um só mediador entre Deus e os homens, Jesus Cristo homem", e jamais haverá qualquer instituição que possa legitimamente reivindicar tal mediação. A Reforma Protestante deve ser celebrada porque seu anúncio profético, ao tempo que desautoriza qualquer possibilidade de hierarquização no Corpo de Cristo, chama todos homens e mulheres ao exercício de seu sacerdócio universal e a se oferecerem a Deus pelo povo e ao povo, em nome de Deus.

A Reforma Protestante deve ser celebrada porque, ao sublinhar a alteridade da Igreja, nos ensinou a não levar a sério isso que chamamos igreja.

A virtude dos reformadores consiste não em retomar a "verdadeira igreja", mas em afirmar que tal coisa não existe. A "verdadeira igreja" escapa ao controle, à gestão, às formas e às reformas da pretensão humana. A ousadia de confrontar aquela que pretendia ser "a Igreja" afirmou que existem apenas igrejas, milhares e milhares de igrejas, pequenas comunidades cristãs, encarnações imperfeitas do evangelho do reino.

O evangelho de Jesus e o Jesus do evangelho extrapolam todos e quaisquer códigos morais, humilham toda tentativa de síntese lógica em confissões doutrinais e suportam toda a diversidade cultural das liturgias.

Os seguidores de Jesus Cristo não podem ser controlados, pois são como o vento, que você não sabe de onde vem, nem para onde vai, apenas pode perceber sua presença. Livres são não apenas os ventos, mas também — e principalmente — todos aqueles nascidos do vento, do divino sopro, do Espírito Santo.

Quando encontrá-los, não tente reformá-los, é perda de tempo. Eles já não serão os mesmos no instante seguinte. Estão em constante transformação, numa dinâmica incontrolável e imprevisível, sujeita ao Espírito que os forma segundo a imagem do primeiro dos filhos de Deus. Caso eles cruzem seu caminho, solte seu corpo e sua alma e deixe-se levar juntamente com eles. Entre na dança, na valsa, na *pericorese* eterna, redescoberta quando os reformadores do século 16 disseram que a ninguém e a nada se submetem. Sendo você um deles, jamais abra mão de responder a Deus mediante sua própria consciência.

Faça como os reformadores do século que hoje celebramos; contra tudo e contra todos, grite bem alto: *Solus Christus, Sola Gratia, Sola Fide, Sola Scriptura*. Seu epitáfio provavelmente será como o de todos eles: *Soli Deo Gloria*.

7

O que é adoração reformada (e por que precisamos dela)?

Gerson Borges

Adoração reformada é adoração bíblica. Adoração bíblica é adoração a Jesus Cristo. Cristo é o centro. "Tire Cristo da Bíblia e o que mais se encontrará nela?",[1] questionou Martinho Lutero. Adoração a Jesus Cristo é muito mais que cânticos e ritos, hinologia ortodoxa ou louvorzão contemporâneo, recitação de credos, exuberâncias estéticas, extravagâncias litúrgicas, catarse pentecostal, emoção religiosa ou uma reunião informal e festiva, com banda e um carismático dirigente de louvor. Sinto ter de relativizar tudo isso. Trata-se essencialmente de um prostrar-se diante da revelação de Jesus como sendo Deus, o único e o verdadeiro, o Criador e Sustentador de todas as coisas, por meio de quem e para quem tudo o que existe foi criado (Jo 1.1-3). Ele, o Filho, é um com o "Deus Pai, Todo-poderoso, Criador dos céus e da terra", como afirma o Credo dos Apóstolos. Jesus, o Cristo, antes, durante e depois. Adoração para os reformadores é simples assim.

A confissão estupefata de Simão Pedro sintetiza toda essa afirmação teológica em sua confissão célebre após a pesca maravilhosa: "Afasta-te de mim, Senhor, pois eu sou um homem pecador!" (Lc 5.8). Quem conhece a obra fundamental de

Calvino, *As Institutas*, sabe que esse trabalho extraordinário do reformador insiste na noção do duplo conhecimento agostiniano. "Calvino insiste que a verdadeira sabedoria se encontra no conhecimento de Deus e de nós mesmos: é através do reconhecimento da nossa condição de pecadores que descobrimos que Deus é o nosso Redentor".[2]

Adoração reformada é, portanto, uma resposta do crente à revelação de Jesus quanto ao fato de ser Deus. O culto cristão, segundo o pensamento reformado, é uma resposta a Deus. Diante do Senhor, lembra-nos Eugene Peterson, ou nos prostramos em reverente adoração ou fugimos. O problema, como nos avisa a tragicômica tentativa do profeta Jonas, é fugir de quem é onipresente, onisciente e onipotente (Sl 139).

Para o pensamento reformado, adoração é sempre uma reação, a melhor que podemos dar ao Senhor. O Pai procura verdadeiros adoradores, afirma Jesus (Jo 4.23). A iniciativa é divina. Sempre. "No princípio, criou Deus". Essas são as conhecidas primeiras palavras da Bíblia. São mais que uma introdução à história da criação ou ao livro do Gênesis. Elas providenciam a chave que nos abre o entendimento da Bíblia como um todo. Elas nos contam que a religião da Bíblia é uma religião da iniciativa de Deus, como esclarece John Stott. E, assim sendo, trata-se de uma *não religião*.

O ponto não é o que fazemos para Deus, mas o que Deus fez e faz por nós. Nas Escrituras, o exemplo inicial dessa adoração-resposta, desse culto-reação é o de Abraão. Deus se revela ao patriarca. Deus fala com ele. Deus se manifesta. A resposta, a reação? "Abraão construiu ali um altar dedicado ao Senhor, que lhe havia aparecido [...], e invocou o nome do Senhor" (Gn 12.7-8). Aprecio quão claramente Hermisten Maia desenvolve essa compreensão da adoração cristã:

O culto é a resposta reverente e adoradora que só se torna possível pela graça de Deus, que nos dá vida, capacitando-nos para esse momento (Jo 10.10; Ef 2.1,5; Cl 2.13). A grandeza do culto não está nem nos adoradores nem no culto em si (a pompa, o coral, a eloquência do pregador, o belo templo), mas no Deus adorado na sua santidade majestosa. Se realizássemos um culto semelhante com sinceridade e riqueza de detalhes estéticos, mas dirigidos a um deus qualquer, nada seria grandioso; continuaria sendo idolatria.[3]

Essa ponderação nos relembra o episódio trágico, mas emblemático, do bezerro de ouro. Claramente trata-se de um exemplo do que chamaria de "um culto que não é culto". Para quem imagina o culto (e, aqui, pensamos especialmente no culto coletivo) como algo que acontece pela simples presença de sacerdote, altar, adoradores, liturgia, música, dança e celebração, Êxodo 32 nos ensina, de modo dramático, que tudo isso estava presente. Porém, Deus não estava, o Deus de Abraão, Isaque e Jacó. O culto não é culto quando o foco é o homem, não o Deus e Pai de nosso Senhor Jesus Cristo. Portanto, para uma teologia da adoração reformada, sem culto na vida não há vida no culto.

Lutero e Calvino: cristocêntricos

Precisamos de Lutero e Calvino para repensar e refazer nosso conceito e nossa prática de louvor e adoração congregacional. Basta refletir um pouco sobre a realidade evangélica brasileira, em um tempo em que nossa igreja, fragmentada e teologicamente subnutrida, sucumbe mais e mais a essa síndrome do bezerro de ouro, que transforma o "sacerdote" em um prestador de serviços ao gosto do cliente religioso (Êx 32.1).

O sacerdote, recitando o adágio profano "o cliente tem sempre razão" e considerando os dividendos que o negócio da fé ao gosto do freguês pode produzir, permite que a vocação seja cooptada e pervertida pela mercantilização da espiritualidade. Assim, ele repete Arão: "Sim, vamos fazer o que os senhores querem. Diversão religiosa é diversão sem culpa!".

Tanto para Lutero quanto para Calvino, a adoração cristã é cristocêntrica. Bengt Hägglund é categórico ao lembrar que a teologia de Lutero é a teologia da Palavra de Deus. Lutero afirmava que "a Escritura deve ser entendida a favor de Cristo, não contra ele; se não se refere a ele não é verdadeira Escritura".[4] O culto também só será cristão com o Cristo. Igual ênfase no Filho, Cristo no centro, é dada pelo reformador de Genebra, como explica seu biógrafo Alister McGrath.

> [...] o pensamento de Calvino é eminentemente cristocêntrico, não apenas pelo fato de que ele se centraliza na revelação de Deus em Cristo Jesus, mas também porque essa revelação desvenda um paradigma que governa outras áreas centrais do pensamento cristão [...]. Se existe um ponto central no pensamento religioso de Calvino, este pode ser perfeitamente identificado como sendo o próprio Jesus Cristo.[5]

Se considerarmos verdadeira a tese que considera Calvino o maior teólogo da Reforma e empreendermos uma busca por um termo que descreva a sua teologia, a sua pregação e o seu raciocínio, sem dúvida o vocábulo será *cristocêntrico*.[6] Ainda que pressupondo o fato de a Reforma ser maior que o calvinismo e que este é maior que Calvino, o reformador João Calvino é um gigante fabuloso! Karl Barth disse certa vez, numa carta a seu amigo Eduardo Thurneysen: "Eu poderia feliz e proveitosamente assentar-me e passar o resto de minha vida somente com Calvino".[7]

Levando em conta a grande riqueza da teologia reformada, é em Calvino que teremos o auxílio bíblico mais precioso para pensar a adoração. É com ele, não obstante a paixão de Lutero e sua "ânsia pela graça", que nos lembramos de que:

1. Não há nenhum aspecto de nossa salvação que não possa ser achado em Cristo (Romanos).
2. Todo o evangelho está contido em Cristo (Romanos).
3. Todas as bênçãos de Deus nos alcançam por meio de Cristo (Romanos).
4. Cristo é o começo, o meio e o fim; nada pode ser achado à parte de Cristo (Colossenses).[8]

E os salmos?

Falar de adoração reformada é sublinhar a centralidade da Palavra de Deus e da supremacia de Jesus Cristo, até porque Cristo é a Palavra que se encarna, o Verbo que se faz carne (Jo 1.1).

Adoração, para os reformadores, é centrada na revelação de Deus em Cristo e de Cristo na Palavra. Não é um culto *bibliólatra*, a adoração de um livro, mas do Deus que se revela em Cristo e nas Escrituras. Para Calvino, os salmos ocupam um lugar sublime na revelação de Deus em Cristo e de Cristo nas Escrituras. Seguindo Agostinho, Calvino enxergava Cristo em todo o texto bíblico, mas especialmente em Salmos. Para ele, esse livro era a anatomia de todas as partes da alma.

Considerando o lugar dos salmos no culto proposto por Calvino, o cântico dos salmos tornou-se essencial para a piedade calvinista, como nos lembra Hermisten Maia. Ele acrescenta: "devemos observar que os hinos da igreja não precisam estar limitados a salmos, mesmo reconhecendo seu indiscutível valor como palavra inspirada de Deus".[9]

No entanto, é de fato triste, melancólico, o reconhecimento do crescente desprezo pelas Escrituras e pelos salmos na música que o culto dito evangélico pratica hoje. O cântico de Salmos e da Escritura como um todo — história, poesia, profecia, evangelhos e epístolas (de modo literal ou adaptado poeticamente, como tão amplamente praticado na grande tradição da hinologia reformada, didático e edificante) — vai ao encontro do que Paulo recomenda em Efésios: "Enchei-vos do Espírito, falando entre vós com salmos, entoando e louvando de coração ao Senhor com hinos e cânticos espirituais" (Ef 5.18-19).

Mas não é isso que consta na lista, na ordem de culto, na liturgia da igreja evangélica de nossos dias. Infelizmente, quem define o que as congregações têm cantado são os executivos de gravadoras *gospel*, que costumam ser tudo, menos liturgistas piedosos, crentes, familiarizados com os hinos de Wesley e Kalley, versados nas Escrituras — em especial nos salmos, chamados por Eugene Peterson de "a escola de adoração de Israel, de Cristo e da Igreja". Devido ao conceito reformado da graça comum, Kuyper, Rookmaaker e Schaeffer entendem que o louvor pode ser bíblico e dialogar com a brasilidade, redimindo a cultura, pondo um pandeiro aqui e um cavaquinho ali no canto de domingo.

Conclusão

Adoração reformada é sempre uma resposta à graça divina, uma reação à revelação do evangelho. A adoração reformada é a que procura dar glória a Deus, não ao homem. Assim, preocupa-se com a contemplação reverente do Cristo, e não com a diversão religiosa do homem.

O culto reformado é aquele em que a glória de Deus é reconhecida como o alvo de todos os propósitos do Senhor e, por isso mesmo, é buscada em todos os momentos e atos, como nos cânticos e na proclamação da Palavra. Seus dramas e gestos, "a palavra da alma", como quer Rubem Amorese,[10] são icônicos e não idólatras. Apontam para cima, para o Deus glorioso e trino. Adorar a Deus assim é adorar trinitariamente — ao Pai, por meio do Filho e do Espírito Santo.

A adoração reformada é bíblica e, portanto, cristocêntrica. Voltemos às Escrituras. Retornemos a Cristo. Revisemos nossas canções e liturgias. Releiamos Lutero e, especialmente, Calvino. E, reitero, Jesus é o centro. De tudo. E de toda a adoração verdadeira ao Deus verdadeiro: "Por meio de Jesus, portanto, ofereçamos continuamente a Deus um sacrifício de louvor, que é fruto de lábios que confessam o seu nome" (Hb 13.15).

8

Uma reforma interior

Isabelle Ludovico

O que aconteceu com a essência da Reforma Protestante, sintetizada nos cinco *solas*: *Sola Fide, Sola Scriptura, Solus Christus, Sola Gratia, Soli Deo Gloria*? Esse movimento teve como objetivo corrigir heresias da Igreja Católica Apostólica Romana, mas, hoje, lamentavelmente, é importante reconhecer, confessar e corrigir as heresias que brotaram no seio da igreja evangélica.

Os cinco *solas* da Reforma foram muito pertinentes, pois apontavam a essência perdida, restabelecendo um equilíbrio. Mas, por serem unilaterais, acabaram gerando outros desequilíbrios.

A verdade do evangelho é paradoxal: lei e graça; quem se humilha será exaltado; é dando que se recebe; quem perder sua vida a ganhará... Assim, o que sugiro para uma nova reforma é a ampliação dos cinco *solas*, restabelecendo alguns paradoxos.

Sola Fide

A ênfase na salvação pela fé questionou o ensino católico romano de que os sacramentos da igreja, a frequência à missa e a prática de boas obras é que garantiam a salvação. Porém, gerou uma teologia individualista, egocentrada: a teologia da prosperidade. Por isso, proponho: *Só a fé, evidenciada pelas obras*, conforme estabelece Tiago em sua carta: "A fé por si mesma, a menos que produza boas obras, está morta!" (Tg 2.17).

Se a sua fé não gera transformação, não o torna mais solidário e generoso, não o leva a servir Deus no próximo, você precisa voltar à cruz, arrepender-se e se converter novamente, porque se tornou um fariseu.

No documento fundador da Reforma, as 95 teses, Lutero escreveu: "Dizendo nosso Senhor e Mestre Jesus Cristo: 'Arrependei-vos...' (Mt 4.17), certamente quer que toda a vida dos seus crentes na terra seja contínuo arrependimento". De fato, quando nos comparamos aos "ímpios", nós nos achamos santos, mas, se olharmos para Cristo, veremos quão longe estamos de ser perfeitos, quanto precisamos caminhar no processo de despojamento e humildade e no compartilhamento dos recursos materiais, emocionais e espirituais que Deus nos confiou para abençoar o próximo! A boa notícia é que Deus nos aguarda de braços abertos e nos renova no seu amor.

Sola Scriptura

A primazia da Palavra se contrapõe à influência das encíclicas papais, consideradas pelos católicos no mesmo nível de autoridade que a Bíblia. Esses acréscimos, porém, são heresias que continuam sendo promulgadas. Por exemplo, o dogma da imaculada conceição de Maria é de 1854, e o dogma de sua assunção corpórea, de 1950!

A Igreja Católica Apostólica Romana tentou manter seu poder exclusivo de interpretar a Bíblia. O Concílio de Toulouse (1229) proibiu os leigos de possuir ou ler traduções do vernáculo da Bíblia. O Concílio de Tarragona (1234) ordenou que todas as versões do vernáculo fossem levadas aos bispos para

serem queimadas. O papa Gregório XVI ainda insistiu, em sua encíclica de 1844: "Confirmo e renovo os decretos acima recitados contra a publicação, distribuição, leitura e posse de livros das Sagradas Escrituras traduzidas para a língua vulgar".
A primeira Bíblia impressa, a de Gutenberg, data de 1455. Foi escrita em latim. A partir da Reforma, as sociedades bíblicas se esforçaram para que a Bíblia fosse traduzida em linguagem comum e posta ao alcance dos leigos. A Inquisição proibiu, desde 1547, a posse de bíblias em línguas vernaculares, permitindo apenas a Vulgata latina, ainda assim com sérias restrições. A tradução completa em português, feita por João Ferreira de Almeida, só foi publicada entre 1748 e 1753.

Era importante reafirmar a autoridade das Escrituras e pôr a Bíblia ao alcance dos leigos. Mas a ênfase na Verdade como um enunciado gerou uma esquizofrenia entre o que se prega e o que se vive. Priorizamos pregadores eloquentes e carismáticos, sem levar em conta a coerência entre o discurso e a prática. Promovemos o farisaísmo que Jesus tanto denunciou. Jesus é a verdade. A verdade não é uma declaração de fé: é alguém, é Deus encarnado. A verdade só existe quando encarna.

A atenção à letra também produziu divisões a partir de diferentes interpretações da Bíblia — por exemplo, o batismo por imersão ou por aspersão. Assistimos a discussões estéreis entre teólogos que se sentem donos da verdade. O pastor Ed René Kivitz pontua:

> Comunhão não existe sem humildade. E sem as duas, não existe experiência da verdade. A verdade a gente não sabe. A verdade a gente vive quando ela se apropria de nós [...]. A verdade é soma de corações e não de cabeças [...]. A verdade é isso, a gente experimenta, saboreia, se delicia, mas não fica com ela como quem tem posse, pois a verdade é maior do que nós [...]. A verdade é uma pessoa, que gosta de brincar, de rir e de chorar.

A verdade é uma pessoa que se dá a conhecer na comunhão dos humildes: "Onde dois ou três estiverem reunidos em meu nome, eu estarei no meio deles", disse a verdade inteira aos que tinham consigo apenas meias verdades.[1]

A partir desse entendimento, sugiro *Só a Escritura encarnada*.

Solus Christus

Este *sola* denuncia a heresia de entronizar Maria como intercessora e, até, mediadora da salvação. Tal heresia é sintetizada na expressão popular "Peça à mãe que o filho atende". Porém, a Bíblia é clara: "Há um só Deus e um só Mediador entre Deus e a humanidade: o homem Cristo Jesus" (1Tm 2.5). É interessante perceber o discurso ambíguo do papa quando reconhece que Cristo é o único mediador mas ora a Maria.

A exclusividade de Cristo leva também ao sacerdócio universal dos crentes. Não precisamos mais de intermediário já que o véu foi rasgado e temos acesso à presença do Pai pelo sacrifício de Cristo. "Portanto, irmãos, por causa do sangue de Jesus, podemos entrar com toda confiança no lugar santíssimo" (Hb 10.19). Por que continuamos a buscar intermediários em vez de assumir a responsabilidade pela nossa relação com Deus e pelo nosso crescimento espiritual?

Cristo é parte da Trindade. Assim, apesar de o Pai ter dado a primazia a Cristo, converter-se é participar da amizade da Trindade: Pai, Filho e Espírito Santo. Cristo revela quem Deus é e quem o homem pode ser. O Espírito nos convence do pecado e confirma que somos filhos de Deus.

Algumas igrejas colocam o foco no Espírito. Outras priorizam a relação com o Pai. Outras, ainda, só mencionam a mediação de Cristo. Mas somos chamados a nos relacionar com esse Deus trino, que nos ensina um modelo de relacionamento.

Deus é amor porque são três de igual dignidade que se amam entre si e nos convidam a participar de sua comunhão. Um deus solitário não poderia ser amor. Participar da Trindade é reconhecer Cristo como o primeiro dos irmãos e ser parte da grande família dos filhos adotados, ser parte do Corpo de Cristo. Participar da Trindade reafirma a dimensão comunitária da fé, ressalta nosso compromisso em relação aos irmãos na fé, mas também a todos os homens. Se minha fé não me leva a buscar diligentemente edificar o meu próximo, eu me afastei da minha essência e preciso voltar ao primeiro amor.

Assim, recomendo: *Só Cristo, na Trindade*.

Sola Gratia

A ênfase na graça visa a libertar os cristãos do abuso espiritual da igreja que impõe um legalismo estéril. Jesus afirmou: "Sim, que aflição também os espera, especialistas da lei! Pois oprimem as pessoas com exigências insuportáveis e não movem um dedo sequer para aliviar seus fardos" (Lc 11.46).

A lei serve para condenar; e somos salvos pela graça. No entanto, é curioso constatar que as igrejas que mais crescem são as que carregam um código de leis bem definido. É mais fácil obedecer a leis superficiais, como o comprimento da saia ou o corte do cabelo, do que assumir a responsabilidade de discernir o próprio coração e perceber os próprios limites. Ser um cristão maduro é exercitar a liberdade com responsabilidade, pois "tudo me é permitido, mas nem tudo convém" (1Co 6.12). Trata-se de entender o princípio e obedecer ao Espírito em vez de permanecer na letra, porque "a lei escrita termina em morte, mas o Espírito dá vida" (2Co 3.6).

Por exemplo, o *Shabat*, ou a guarda do sábado. O mandamento original de guardar o sábado (Êx 20.8-11) é um convite a tirar um tempo de celebração, quietude, presença. Estabelece um limite à nossa voracidade, que nos leva a querer sempre mais. A experiência de ser amado sem fazer nada desconstrói nossa mentalidade de escravos e reforça a identidade de filhos amados. Parar, silenciar e celebrar nos liberta da tirania do *chronos*, esse tempo que vai em direção à nossa morte, para experimentar um vislumbre da eternidade, o tempo de plenitude. Podemos rever nossas prioridades e redirecionar o roteiro, livrando-nos do supérfluo e dando lugar ao essencial.

Quando enchemos o domingo de atividades, até mesmo religiosas, perdemos a essência: a intimidade com Deus. Assim, silêncio, quietude e meditação são substituídos por ativismo e diversão, incluindo um tempo enorme assistindo à televisão ou mexendo no celular.

A ênfase na graça teve por consequência uma igreja liberal, onde a cruz foi escondida, a confissão de pecados foi negligenciada, o diabo e o juízo final foram considerados obsoletos. É importante reafirmar a essência da cruz. A graça, portanto, é a vitória do Cordeiro imolado, a qual teve um custo alto e não pode ser barateada.

Portanto, reafirmamos: *Só a graça, pela cruz.*

Soli Deo Gloria

Este *sola* corrige a tendência do homem de querer a glória para si, o desejo de ser *como* Deus em vez de ser *com* Deus, a arrogância de decidir por conta própria o que acha bom. Nossas orações, que geralmente são uma lista de pedidos, evidenciam essa distorção de querer um deus a nosso serviço, decretando como ele deve agir.

Mas glorificar a Deus não é cantar algumas músicas na igreja, por vezes com letras muito distantes da realidade, diga-se de passagem. É amando que se glorifica a Deus. Amar é a essência da vida cristã. Devemos aprender a amar como

Deus nos amou. Se não tivermos amor, o que fazemos não tem valor algum. O amor é expresso no serviço ao próximo e nos salva do egocentrismo, da ganância, da frustração. Como bem disse o papa Francisco no encontro ecumênico organizado pela Federação Luterana Mundial, na Suécia, em 31 de outubro de 2016: "Para nós, cristãos, é uma prioridade sair ao encontro dos descartados e marginalizados do nosso mundo, tornando palpável a ternura e o amor misericordioso de Deus, que não descarta ninguém, mas acolhe a todos, e que hoje nos pede para protagonizar a revolução da ternura".[2]

O mundo carece terrivelmente de ternura e cuidado. Somos chamados a sair da zona de conforto e compartilhar os muitos recursos que Deus nos confiou.

Embora sejamos justificados pela graça mediante a fé, seremos julgados por nossas obras de amor, pelas quais nossa fé íntima se torna conhecida (Ap 20.13). Como diz o presidente da Visão Mundial, Richard Stearns, no livro *A grande lacuna*:

> Cristo nos chama para ser seus parceiros na transformação do nosso mundo [...]. Com perto de dois bilhões de cristãos no mundo, quase um terço da população, transformar o mundo tratando da pobreza e da injustiça não parece, de forma alguma, estar além de nossas possibilidades [...]. Será que as futuras gerações nos verão como cristãos que viviam no luxo e na autogratificação enquanto milhões morriam por falta de alimento e de água? [...] Está em risco mais até mesmo do que a vida dos pobres e dos órfãos [...], a própria integridade de nossa fé.[3]

A Reforma teve como objetivo corrigir abusos e distorções da Igreja Católica Apostólica Romana. O desafio de uma nova reforma seria uma mudança interior, para corrigir a incoerência entre nosso discurso e nossa vida, que inviabiliza nosso testemunho.

Em Cristo, todas as coisas foram reconciliadas com Deus. Cabe-nos exercer o ministério da reconciliação vivendo os valores do reino de amor e justiça, movidos por gratidão, alegria e esperança. Cabe-nos ser amigos de Deus, de nós mesmos, do outro e da natureza.

Só a fé, evidenciada pelas obras.

Só a Escritura encarnada.

Só Cristo, na Trindade.

Só a graça, pela cruz.

Glória somente a Deus, por meio do amor.

9

Procuram-se igrejas centradas no evangelho

Jay Bauman

Sou um missionário americano que atua no Brasil desde 2009 e ainda estou aprendendo sobre a Igreja na América Latina. Certamente não quero dizer que tenho um entendimento completo das igrejas brasileiras do passado e do presente ou do que elas poderão se tornar no futuro. Por isso, causa-me certo temor escrever sobre a eventual necessidade de uma nova Reforma no país. No entanto, por meio de nosso trabalho nos ministérios Restore Brasil e Atos 29, tive a oportunidade de dialogar com centenas de pastores ao longo dos últimos anos e, por isso, acredito poder contribuir com o que tenho percebido a respeito da realidade da Igreja brasileira.

Estou um tanto pessimista e, ao mesmo tempo, encorajado com o que tenho visto no evangelicalismo brasileiro. Pessimista porque vejo muito poucas igrejas centradas no evangelho. Encorajado porque sinto que está para acontecer um ressurgimento de igrejas reformadas missionais e centradas nas boas--novas de Cristo. O problema é que o movimento é jovem, e esse tipo de igreja está sendo criada enquanto falamos. Não há muitas referências saudáveis de igrejas que se dedicam totalmente à cultura sem negociar a mensagem central de Nosso Senhor.

O evangelho é proclamatório por natureza. O encontro com Jesus só é possível pela proclamação verbal das boas-novas de Cristo. A reforma pela qual oramos deve exaltar Jesus, ser guiada pelo Espírito Santo e ser biblicamente saudável. Não deve ser impulsionada acima de tudo por tentativas de resolver a desigualdade social (mesmo Jesus disse que sempre teremos os pobres entre nós, Mt 26.11). Tampouco deve ser impulsionada por, Deus nos livre, ações do meio político-partidário. Nada disso.

A reforma começa e termina com Jesus, com a centralidade da proclamação do evangelho, pois jamais ocorrerá por meio de partidos políticos, organizações sem fins lucrativos ou ministérios eclesiásticos. Uma nova reforma só ocorrerá mediante a plantação de novas comunidades evangélicas cujo DNA esteja centrado na proclamação do evangelho. A Igreja só mudará por meio de um movimento de igrejas que plantam igrejas, as quais, por sua vez, deixarão um legado para a sociedade. Isso porque, como explica Tim Keller, o evangelho não é apenas o ABC do cristianismo, é o A a Z do cristianismo.

Keller defende que o evangelho renova todas as dimensões da vida e deve ser aplicado ao pensar, sentir, relacionar, trabalhar e comportar-se. Devemos viver de acordo com a verdade do evangelho, e isso significa que nenhuma reforma é impulsionada pela simples compreensão cognitiva das implicações das Escrituras relativamente aos assuntos terrenos, mas por sua aplicação a todas as áreas da vida. O desafio é que o evangelicalismo brasileiro está longe de ser centrado nas boas-novas de Cristo.

A meu ver, existem cinco tipos de igrejas evangélicas no Brasil, e todas apontam claramente para a necessidade de uma reforma. Falaremos a seguir sobre cada um desses cinco tipos.

Igreja centrada na personalidade

A igreja centrada na personalidade é extremamente comum no Brasil. O nome de seus pastores, bispos e líderes sempre ganha destaque. É marcada por nepotismo, com o poder sendo transmitido de pai para filhos e outros parentes. Esse tipo de organização é liderada por gente interessada em assegurar que o poder fique sempre dentro da família ou, em casos extremos, construir um império pessoal.

Muitas têm "ministérios" de televisão ou rádio, nos quais uma personalidade domina. Em geral, esse tipo de igreja está em uma missão implacável para atrair todos usando sua personalidade carismática; ela basicamente manipula as pessoas com esse fim. Os sermões são recheados de versículos da Bíblia fora de contexto e manipulam, ou mesmo oprimem, as pessoas, especialmente os pobres. A força da igreja centrada na personalidade é o seu espírito empreendedor. Sua questão central é: "O que usar para construir nosso império?" ou "O que fazer para que os liderados sigam nossa família?".

O que uma igreja centrada na personalidade deve fazer para se tornar centrada no evangelho? A reforma, nesse caso, é necessariamente eclesiológica, começando com liderança saudável e menos centralização de poder em uma pessoa ou família. Por quê? Porque em uma igreja centrada no evangelho o controle não está nas mãos de um único homem ou de uma mesma família, com o bastão passando de pai para filho, geração após geração. A igreja deve colocar Jesus, e não o líder, no centro. Jesus deve ser sempre o verdadeiro pastor sênior de toda e qualquer igreja.

Igreja institucional

A igreja institucional, ou institucionalizada, tem uma história rica, muito amor pela tradição e uma infraestrutura forte.

O problema é que ela se volta demais para dentro. Não se preocupa em alcançar novas pessoas. A igreja institucional é mais impulsionada pela instituição ou pela história do que pelo evangelho. É caracterizada por uma profissionalização do ministério, uma vez que apenas as pessoas com nível superior em teologia podem dar a ceia ou batizar. É muitas vezes sufocante por natureza e caracterizada por jogos políticos de poder.

A igreja institucional é caracterizada por viver no passado. A força está na estrutura, e em como ela valoriza a história, os anciãos, os preceitos e os valores. Sua principal pergunta é: "O que fazíamos antes?". Enquanto elas não se relacionarem com o futuro com o mesmo respeito que nutrem pelo passado, os jovens continuarão a sair desse tipo de igreja.

Muitas delas parecem ter uma teologia centrada no evangelho, mas esta acaba sendo sufocada pela estrutura política e de poder interno. Para mudar isso, precisam desenvolver mais paixão pelos perdidos e uma verdadeira vontade de abraçar métodos missionais que lhes permitam alcançar a próxima geração para Cristo.

Igreja fundamentalista

A igreja fundamentalista também é comum no Brasil, embora seja menos frequente do que era dez a vinte anos atrás. Há duas correntes de fundamentalismo: uma baseada em intelectualidade e outra mais semelhante a uma lavagem cerebral. Ambas são perigosas.

A igreja fundamentalista é separatista por natureza. O mundo é visto como o mal. Poucas pessoas perdidas são ganhas para Jesus, porque os cristãos fundamentalistas evitam gastar tempo com os não cristãos. Esse tipo de igreja suspeita de qualquer coisa missionalmente inovadora ou criativa no que diz respeito à apresentação do evangelho. O púlpito é tratado como o único meio de Deus falar ao homem, e as pessoas na igreja estão sujeitas a todo tipo de ensinamento questionável do púlpito.

Como resultado, a igreja fundamentalista é impulsionada mais pela moral do que pelo evangelho. Teologicamente, ela é em geral arminiana, caracterizada por uma retórica dura sobre qualquer um que esteja do lado de fora. A força da igreja fundamentalista está na valorização da reverência, assim como no conceito de temor ao Senhor, embora, às vezes, esses elementos sejam mal interpretados ou mal aplicados. O foco dessa igreja não está naquilo pelo que todos são a favor, mas no que são contrários.

O que a igreja fundamentalista pode e deve fazer para se tornar centrada no evangelho? Ler as Escrituras pela lente do evangelho da graça. Envolver-se mais com as pessoas perdidas. Reconhecer que o verdadeiro inimigo não é o povo ou a cultura. Isso seria uma forma revolucionária de começar.

Igreja pragmática

A igreja pragmática está crescendo mais rapidamente no Brasil do que todos os outros tipos de igreja, especialmente na tradição batista. Depois de anos lutando com estruturas extremamente institucionalizadas, muitas igrejas decidiram fugir dos costumes e das formas de culto tradicionais. O problema é que elas estão jogando fora o bebê junto com a água suja.

A igreja pragmática é exageradamente contextualizada e sincretista, e só está interessada no que funciona, no que atrairá as pessoas. No passado, isso era mais limitado às igrejas neopentecostais, mas esse pragmatismo agora é encontrado em denominações evangélicas históricas, em número cada vez maior.

A esperança da igreja pragmática não está no evangelho, mas em como manter a instituição se movendo e crescendo. É caracterizada por muitos programas e alvos, e, claro, números. Se for preciso criar uma atmosfera de discoteca para atrair os jovens para um culto, então que assim seja. Essa igreja é teologicamente rasa, não evoca um sentimento de reverência ou transcendência e é geralmente caracterizada por um evangelho centrado no homem. Usa palavras como "objetivo", "potencial" e "campeão" muito mais do que "pecado", "confissão" e "arrependimento".

A força da igreja pragmática é que ela valoriza a inovação e a mudança e parece se preocupar em alcançar novas pessoas. A questão é: alcançar com que evangelho? O que a igreja pragmática pode fazer para se tornar centrada no evangelho é parar de fazer a pergunta "O que funciona?" e começar a perguntar "O que glorificará a Deus?".

Igreja ativista social

A igreja centrada no ativismo social e na preocupação com a justiça social também está crescendo no Brasil. Às vezes, mas nem sempre, é caracterizada pelo liberalismo teológico e é impulsionada mais pelo ativismo que pelo evangelho.

Algumas dessas igrejas afirmam ser centradas no evangelho, mas raramente esse é o anúncio central. Na verdade, na maioria das igrejas com esse perfil as perguntas são mais encorajadas do que as respostas. Muitas vezes, como reação às igrejas fundamentalistas ou institucionais, a igreja ativista social vê sua missão mais do ponto de vista holístico e integral.

O problema é que a igreja ativista social não está abraçando o anúncio do evangelho como o principal meio de mudança social. Programas e campanhas destinados a vencer a desigualdade, a injustiça ou a pobreza assumem os mais altos níveis de importância.

A cultura abraça a igreja ativista social, pois esta enfoca a desigualdade humana e o progresso. Aliás, a cultura aprecia essa igreja, mas talvez o Espírito Santo não. Isso ocorre por sua tendência para o liberalismo. Pecado e inferno não são temas comuns na igreja ativista social, tampouco aborto ou homossexualidade.

O ponto forte dessa igreja é que ela pode ser sacerdotal por natureza, uma vez que tem um coração para a justiça e os oprimidos. O problema é que a solução não é proclamada em sua glória.

A questão principal da igreja ativista social é: "Como vamos resolver os problemas do mundo?", uma preocupação que não é a missão da Igreja e nunca foi. O que a igreja ativista social pode fazer para se tornar centrada no evangelho? Abraçar uma visão saudável de Igreja, que inclua a justiça, sim, mas que não faça dela a única parte da sua missão.

* * *

Esses são os cinco tipos de igrejas evangélicas que vejo no Brasil. Todas necessitam de uma reforma. É preciso contrastar esses modelos de igreja com aquela que é centrada no evangelho, impulsionada por Jesus, guiada pelo Espírito Santo e missional por natureza. Uma igreja cuja questão principal é: "Como podemos abraçar o apelo do evangelho para exaltar Jesus em tudo o que fazemos?".

Quanto mais igrejas tivermos no Brasil com essa cosmovisão, mais veremos a reforma que acredito ser realmente necessária.

10

A alma dividida da Reforma

Luiz Felipe Pondé

A Reforma Protestante é todo um universo impossível de ser mapeado de modo simples e sintético. Não acredito em sistematizações que visam a dar um "DNA" para eventos como a Reforma. Podemos, sim, identificar certos traços, mais ou menos marcantes, que unem a Reforma ao longo, complexo, devastador e encantador processo conhecido como "modernidade".

Mas, ao mesmo tempo que a Reforma é profundamente moderna, ela foi, no seu nascimento, um retorno às origens do cristianismo naquilo que ele tinha de disperso, sem unidade institucional e rasgado por controvérsias intermináveis acerca da natureza humana, do pecado e da graça. Isso fica claro, entre outras coisas, à medida que Lutero "volta" a Agostinho e à primitiva desconfiança dos primeiros cristãos letrados (desconfiança em si herdada do judaísmo) com relação à filosofia grega (a recusa de Aristóteles e sua "prostituta grega").

A Reforma nasce moderna em sua operação, mas antimoderna em sua concepção de natureza humana e de moral social. Em grande parte, permanece até hoje sua vocação a se aliar às forças de mercado, aceitando a instrumentalização e a "commoditização" decorrentes dessas forças, ao mesmo tempo que resiste à relativização que essas mesmas forças colocam em jogo. Isso dá um tom conflitante à Reforma que, creio, é parte de sua riqueza e seu potencial criativo, tanto no plano prático do cotidiano eclesial, pastoral e de inserção social, como no plano teórico da reflexão teológica e psicológica, a qual faz frente ao "humanismo progressista" mais afeito ao relativismo moral moderno. Liberal em economia (na maioria esmagadora dos casos), conservadora em costumes (na maioria esmagadora dos casos). Com uma mão abraça a modernidade instrumental e econômica, com a outra acusa o mal-estar que essa mesma modernidade cria em homens e mulheres que sofrem com a aparente dissolução produzida pela sociedade da eficácia de mercado na vida concreta para além da economia.

O próprio modo como os protestantes (ou evangélicos, na acepção alemã do termo), na sua diversidade contraditória, se inserem no debate político e social brasileiro contemporâneo revela essa atitude: promotores de um liberalismo popular, pragmáticos em política, conservadores em moral, angustiados em espiritualidade.

Neste breve capítulo, discutiremos essa alma dividida a partir de dois exemplos "opostos". De um lado, a bem-sucedida "revolução evangélica" no Brasil de nossos dias; de outro, a resistência à modernização que o protestantismo produziu desde os séculos 18 e 19, conhecida como Romantismo. No primeiro caso, dialogaremos com autores como Jean-Claude Usunier e Jörg Stolz e sua discussão sobre "commoditização" da religião, processo esse a que a Reforma se adaptou muito mais rápido que o catolicismo. No segundo caso, dialogaremos com um especialista em Romantismo, o filósofo Isaiah Berlin, e uma das hipóteses por ele defendidas em sua obra *The Roots of Romanticism*,[1] a saber, a ideia segundo a qual uma das raízes essenciais do Romantismo foi o pietismo alemão do século 17.

A "revolução evangélica" e sua segmentação do mercado reformado no Brasil atual

O viés moderno em ação econômica tem levado a Reforma no Brasil a "diversificar seus produtos" e, assim, criar uma verdadeira "revolução evangélica" em números, política e costumes. Para isso, precisamos entender o que Usunier e Stolz, em seu dossiê *Religion as Brands*,[2] de 2014, chamam de "commoditização" ou "marketização" da religião e o que a tornou possível. O protestantismo, entre as tradições cristãs, é sem dúvida a mais bem-sucedida nesse processo.

Para os autores, esse processo, além do evidente avanço da sociedade de mercado no plano econômico mais imediato, levou a uma mudança no modo de as pessoas se relacionarem com a religião e a espiritualidade (não só nesses casos, mas é de religião que estamos falando aqui). O consumidor de significados para a vida tem à mão hoje uma gama de produtos seculares de consumo para dar sentido ao seu cotidiano. A religião tem de competir com esse dado. Esse consumidor de significados é o resultado de vários vetores contemporâneos de comportamento, mas todos eles o levam a ser um indivíduo "mais exigente" na escolha do produto religioso. Vejamos esses vetores, tais como são descritos por Usunier e Stolz.

1. *Quebra das normas religiosas*: perda de força, por parte das igrejas, de manter a pressão sobre o comportamento moral de seus fiéis, inclusive por conta da secularização nas escolas, nas universidades, nas famílias, na mídia em geral e, mais particularmente, nas mídias sociais.

2. *Crescimento na liberdade individual de escolha*: ênfase na liberdade e no dever do indivíduo de escolher por si só seu modo de vida.

3. *Mudança na grade de valores*: em lugar de valores tradicionais, surge a autorrealização do sujeito como valor maior, o que empurra a semântica da religião, mais institucional, para uma semântica da espiritualidade, mais individual.

4. *Crescimento da renda disponível*: a sociedade enriqueceu como um todo (mesmo com a ladainha da desigualdade social e tal) e isso transformou as pessoas em agentes de escolha de consumo de comportamentos diferenciados naturalmente.

5. *Crescimento da sensação de segurança individual*: mais direitos, mais logística, mais saúde.

6. *Crescimento da exposição à mídia de massa e social*: obter informação sobre as várias religiões se tornou hoje um clique banal.

7. *Crescimento na mobilidade individual*: as pessoas se deslocam com velocidade e facilidade em grandes espaços físicos e virtuais, produzindo uma percepção mais comparativa de suas possibilidades.

A somatória desses vetores obriga a religião a se adaptar a eles. No caso específico do Brasil, a "revolução evangélica" se dá em várias frentes. Na política, oferecendo uma bancada legislativa contra partidos de cunho antirreligioso ou associados à teologia da libertação socialista, de maior teor católico, ainda que existam protestantes próximos a ela, como veremos já. Na moral, revendo tópicos caros a grupos como *gays*, cotistas, afro e índios, compreendidos, por muitos evangélicos, como minorias que "oprimem" uma maioria silenciosa —, os quais, por si só, constituem um mercado gigantesco em busca de vida espiritual. Na economia, abraçando um liberalismo popular que impacta inclusive a fundação ágil de igrejas (bastam cem cadeiras de plástico, um microfone, um salão barato, e umas vinte bíblias) e materializando uma forma clara de "empreendedorismo religioso" difícil de ser enfrentado pela Igreja Católica e seu burocratismo centralizador. Na mídia, com canais de TV, rádio e mídias sociais que disponibilizam até mesmo *sites* de relacionamento para os mais jovens. Esses são apenas alguns tópicos, entre muitos outros.

Se falarmos de estratos socioeconômicos, há a oferta desde instituições como a Igreja Universal do Reino de Deus (IURD) — e sua massificação da mágica veterotestamentária via Templo de Salomão, fazendo os mais pobres se sentirem um povo eleito, vocacionado ao sucesso (fruto do eterno erro que caracteriza a leitura cristã da eleição israelita) — até outras como a Igreja Batista de Água Branca (IBAB), de classe média e média alta, que atende a um público que se quer evangélico mas ser culto, inteligente e crítico em matéria política e social.

Percebendo o consumidor de Jesus como um agente mais "livre para escolher", a Reforma oferecerá cada vez mais produtos religiosos para atendê-lo.

O Romantismo e o pietismo alemão: mal-estar com a modernidade

Em contrapartida, é inegável o mal-estar de grande parte do protestantismo diante da modernidade, vendo nela, em matéria moral, uma devastação dos costumes, das famílias e dos mais jovens. A contradição é evidente, porque é a própria sociedade liberal de mercado, aceita no plano econômico e político pela maioria esmagadora dos protestantes, que produz essa devastação.

Isaiah Berlin, em seu *The Roots of Romanticism*, identifica várias raízes para o nascimento desse movimento literário e filosófico, sem o qual não entendemos grande parte do mal-estar moderno contínuo ao qual estamos submetidos. A modernidade é "bipolar", assim como a Reforma. Ao mesmo tempo que remodela o mundo medieval em favor da burguesia empreendedora, sofre com a devastação do mundo que resistiria a esse processo.

Berlin dirá que a devastação da Guerra dos Trinta Anos (que durou mais de três décadas, adentrando o século 17), entre católicos e protestantes na futura Alemanha, deixará aquela região da Europa na "Idade Média" em termos de progresso técnico, social, político, econômico e moral. Se, ao mesmo tempo, essa guerra deixará como fruto a ideia de autonomia dos Estados modernos e o mútuo respeito e tolerância às diferenças religiosas (Tratado de Westfalia, 1648), ela também criará, na sua face destrutiva do mundo objetivo, o cenário para o gigantesco pessimismo do pietismo alemão para com esse mesmo mundo: homens e mulheres que fogem do mundo, se escondem em lugares remotos, olham para o mundo como lugar do mal, com sua dissolutiva moral de guerra e negócios, que tudo permite ao sabor da violência do "preço das coisas". Esse *ethos* será o berço do futuro Romantismo alemão (o "primeiro Romantismo"), à distância de apenas uma geração. Filósofos reformados e românticos como o dinamarquês Søren Kierkegaard, no século 19, filho de uma família bastante próxima do pietismo alemão, fundarão a filosofia da existência e seu conceito central de que a alma é angústia intratável.

O Romantismo se constituirá na mais importante crítica à modernidade em vários campos: espiritual, moral, político, econômico, psicológico (é o criador da psicologia profunda e da noção de "eu" moderno). Os pietistas, seus ancestrais, pensavam que o mundo era um lugar do qual devemos fugir, inclusive pelo seu poder corrosivo do comportamento. A raiz desse pessimismo cosmológico era, seguramente, seu pessimismo antropológico pautado no pecado original. Uma humanidade sombria habita o mundo; por isso, o mundo é um lugar inquietante que deve ser mantido à distância.

A Reforma é o cristianismo moderno por excelência. Por isso, traz em si essa marca de uma alma dividida: a mesma burguesia empreendedora que funda o mercado é aquela que cria as condições de possibilidade do surgimento da melancolia romântica, sua grande inimiga.

11

O filossemitismo e a Reforma Protestante

Luiz Sayão

A Reforma Protestante, que mudou a história da Europa do século 16, representou um retorno à Bíblia. *Sola Scriptura* foi o grito de Lutero, acompanhado por Calvino, Zuínglio e outras referências da grande reforma religiosa. Essa herança construiu história, principalmente na Europa Central e Setentrional, mas também na América do Norte e, mais recentemente, no Brasil e na América hispânica.

Na trajetória da Reforma, porém, pouco se conhece sobre como os reformadores puderam ter acesso outra vez ao texto bíblico a partir das línguas originais. Rompendo com a tradição católica medieval e o domínio do latim, os reformadores tiveram de pesquisar o texto bíblico muito além da Vulgata, buscando o mais próximo possível do original. Por isso, o estudo do Novo Testamento em grego e da Bíblia hebraica acabaram adquirindo prioridade na tradição protestante desde o início. Como estudar e entender o hebraico antigo? Era necessário aproximar-se dos judeus e do judaísmo.

Essa proximidade pouco explorada, que contrasta com o tradicional antissemitismo presente na cristandade, marcou história e há muito tem produzido uma saudável proximidade entre cristãos e judeus. Esse movimento é conhecido como filossemitismo. A busca do texto hebraico do Antigo Testamento fez de eruditos judeus professores de muitos reformados. Estudiosos do século 16 como Johannes Reuchlin confirmam como as obras e o conhecimento de hebraístas como David Kimhi e Elias Levita foram fundamentais para o aprofundamento nas escrituras hebraicas. Isso foi reconhecido até mesmo pelo próprio Lutero. Essa proximidade e esse reconhecimento de terreno comum abriu espaço para uma certa simpatia entre as comunidades judaicas e protestantes, o que adquire contornos mais nítidos no continente americano posteriormente. Os Estados Unidos tornaram-se um exemplo dessa boa convivência.

Os reformadores entenderam que o edifício teológico, eclesiástico e religioso construído no contexto católico tinha se afastado demasiadamente da proposta original do cristianismo primitivo. O movimento, portanto, era de um retorno às raízes, da primazia da Palavra, da valorização do cristianismo primeiro. E não há como fazer isso sem redescobrir o hebraico, a língua, a cultura e a cosmovisão presentes no texto sagrado.

Todavia, a pergunta deve ser levantada: o retorno da Reforma foi suficiente? O mundo greco-romano que se erigiu sobre a tradição primeira foi suficientemente afastado para que se pudesse encontrar as raízes originais dos primeiros discípulos de Jesus? Cinco séculos depois, a pergunta ainda é pertinente; principalmente na realidade brasileira, na qual a confusão reina nos ambientes evangélicos quando o tema é Antigo Testamento e elementos judaicos. Temos hoje uma Igreja confusa, cujas expressões que vão do antissemitismo explícito ao movimento judaizante irrefletido e místico. Como lidar com essa questão? Que caminho devemos tomar?

O caminho

Enquanto grande parte da igreja brasileira reproduz seu universo mágico, comum em nossa cultura, apropriando-se de símbolos judaicos, ao mesmo tempo o distanciamento da cosmovisão hebraica e bíblica é uma realidade no contexto religioso evangélico. Uma vez que, por razões culturais, a maioria dos evangélicos brasileiros não encontra plena identidade nas tradições protestantes europeias e norte-americanas, a busca de uma identidade evangélica nacional manifesta elementos de nossa própria cultura brasileira revestida de símbolos judaicos.

Infelizmente, esse caminho tem se mostrado pouco promissor. Diante desse quadro, entendemos que é tarefa necessária do protestantismo brasileiro (e mundial) redescobrir o mundo hebraico que fundamenta a Escritura que afirmamos como regra de fé. A Reforma não foi completa. Muito do mundo grego e do Império Romano obscureceram aquilo que definia e delineava o cristianismo primitivo, a comunidade dos discípulos de Jesus (Yeshua).

A elaboração mais recente da teologia bíblica e os estudos comparativos entre a cosmovisão hebraica, contrastando-a com a visão de mundo grega têm sido úteis para entender a questão. De fato, a maneira grega de ser e pensar moldou muito de nossa alma ocidental, e também nossa teologia e cristandade. Parece que ainda hoje nossa teologia cristã do Ocidente tem mais sintonia com Platão e Aristóteles do que com Moisés, Amós e João. Nossa referência, muitas vezes, parece ser Roma e Atenas, e não Jerusalém. Chegou a hora de caminharmos novamente na direção de um filossemitismo e um filo-hebraísmo.

Há muito que aprender, e esse entendimento é especialmente valioso. Alguns estudiosos recentes desenvolveram considerações muito úteis para o entendimento da questão.

Merece destaque especial o norueguês Thorleif Boman, autor de *Hebrew Thought Compared with Greek*;[1] o estudioso francês Claude Tresmontant, autor de *Essai sur la pensée hébraïque*,[2] e o americano Max Kadushin, com suas obras *Organic Thinking*[3] e *The Rabbinic Mind*.[4] O trabalho mais recente, útil para o tema, é o do israelense Yoram Hazony, em *The Philosophy of Hebrew Scripture*.[5]

Duas cosmovisões bem diferentes

A verdade é que os mundos grego e hebraico são distintos e, às vezes, completamente opostos. Talvez, a primeira distinção importante seja a *priorização judaica do tempo*. Os hebreus construíram uma visão de mundo na qual o tempo é a dimensão fundamental. Já a perspectiva helênica valorizava o espaço. Há muitos vocábulos na Bíblia hebraica para referir-se ao tempo. O foco é o agir de Deus na história humana, categoria predominante do pensamento bíblico. Essa preponderância do tempo desdobrou-se no valor da Palavra. Por isso, para o judeu era importante *ouvir* (Dt 6.4), enquanto, em geral, para o grego sempre foi essencial *ver*. A Grécia era o mundo das esculturas e da arte visual. Ideia e teoria, por exemplo, são palavras nossas que procedem do grego e significam "ver".

Na visão grega de mundo há, em certo sentido, um desprezo pela linguagem, vista como referência inferior. Platão, por exemplo, buscava a ideia pura, pois somente por meio dela seria possível alcançar a verdade. A abstração aristotélica também não se distancia disso. Na Grécia antiga, dedicar-se apenas à contemplação e ao mundo das ideias era considerado a mais nobre atividade. No mundo hebraico, a Palavra é tudo. *Davar* ("palavra", em hebraico) também significa coisa e fato. A Palavra une e faz referência tangível à realidade. Deus cria o mundo falando. Sua revelação é o seu nome. Sua verdade é mediada por sua Palavra. O próprio Jesus é o verbo de Deus (Jo 1.1,14).

Os gregos são os pais da filosofia ocidental. A busca pela "essência" das coisas por meio da razão marcou o gênio helênico. Já o mundo hebraico é diferente. Nele a realidade é complexa e é criação de Deus. O homem deve reverenciar o Criador e viver em santidade. A criação é bela e não é inferior por ser material. A realidade é integrada e complexa e deve ser celebrada à luz da revelação do Deus Criador. Por isso, enquanto a abstração marcou o mundo grego, a Bíblia hebraica não é nada sistemática, nem filosófica ou teológica. São textos vivos e dinâmicos que delineiam a relação do Criador com o ser humano.

Thorleif Boman, com razão, afirmou que a mentalidade hebraica é dinâmica, vigorosa e apaixonada e, de vez em quando, até explosiva; enquanto a mentalidade grega é estática [harmônica], serena, moderada. Por isso, vamos descobrir que o hebraico fala concreto enquanto o grego pensa abstrato. A ideia pura para o grego é o caminho para alcançar a verdade; por isso, lidar com a vida é usar abstrações, modelos que supostamente organizam toda a realidade. Essa abstração pressupõe um movimento de distanciamento da realidade, de construção de um mundo que não toca o cotidiano. Já a linguagem bíblica é concreta e sensorial; em vez de abstrações, descreve a experiência vivencial do homem em sua relação com Deus. Lutero chamou isso de "energia especial" no vocabulário bíblico. Essa linguagem sensorial dá vida, movimento e um colorido especial ao texto bíblico e à literatura hebraica antiga. Por exemplo: irar-se é "arder as narinas", ver é "levantar os olhos", o orgulhoso é aquele que tem "dura cerviz", revelar ou apresentar algo é "falar aos ouvidos", preparar-se é "vestir os lombos", e assim por diante.

Com esse enfoque, a realidade bíblica é dialética, em oposição ao reducionismo lógico aristotélico, que tanto tem dominado a teologia. O texto sagrado não se incomoda em afirmar realidades aparentemente opostas (complementares). Deus é um ser infinito, mas pode encarnar num bebê em Belém da Judeia. Deus pode ser um e três ao mesmo tempo. A Bíblia é Palavra de Deus e foi escrita por homens. Somos salvos por crer e ao mesmo tempo por obra exclusiva do Espírito Santo. Deus é totalmente soberano e nós somos livres e responsáveis por nossos atos.

Enquanto o racionalismo limitado conduz à fragmentação e à polarização do texto bíblico, o enfoque dialético hebraico permite a convivência tranquila e complementar de vários temas importantes das Escrituras. Um realinhamento "hebraico" nos daria mais humildade, menos desejo de "dominar o texto" e mais tolerância e fraternidade. Precisamos enxergar e viver a vida, sob a perspectiva hebraica, numa atitude de encantamento diante do sagrado e do divino, e aceitar que Deus é simplesmente inefável, constatando que a realidade é entrelaçada e complexa. A Bíblia hebraica mantém muitas tensões, sem que isso traga nenhum prejuízo a Deus ou ao mundo criado. Na história do Êxodo, quando Moisés diz ao faraó que deixe o povo ir adorar a Deus, o faraó endurece o coração, mas o texto também diz que Deus endurece o coração do faraó. Nenhuma crise para o pensamento hebraico. Grande complicação para o mundo grego.

Creio ser útil observar alguns contrastes fundamentais entre as duas perspectivas para entendermos mais adequadamente suas decorrências:

Perspectiva grega	Perspectiva hebraica
Deus é (ontologia)	Deus age (valor da história)
O homem e a razão dominam	Deus é o Senhor sobre tudo
Antropocentrismo/Estado (polis)	Teocentrismo/tribo-família
Dualismo da realidade: espírito/matéria	Material e espiritual entrelaçados
Universo estático (reflexão)	Universo dinâmico (vida/ação)
Contemplação/passividade	Ação transformadora
Harmonia/compostura	Movimento/vida/emoção
Descrição linear/racional	Poesia/metáforas/narrativas
Predomínio do espaço	Predomínio do tempo
Domínio/controle	Submissão/reverência

Se queremos construir uma reforma plena, se desejamos um retorno completo às Escrituras, por meio de uma teologia e de uma Igreja mais vivas e apaixonadas por Deus e sua graça, se almejamos experimentar uma intensa sintonia entre reflexão e espiritualidade e, com humildade, crescer em tolerância e união em Cristo, é preciso revisitar o mundo hebraico: a matriz fundamental que estrutura e fundamenta o pensamento bíblico.

Caso estejamos prontos, quem sabe tenhamos uma nova reforma? Quem sabe venhamos a ter uma Heb-Reforma!

12

A infinitude de Deus e o drama da rotina

Marcos Almeida

Você já experimentou o prazer de ouvir o riso de uma criança e o som das ondas beijando a praia, de apreciar o céu estrelado em noite fria e a lua cheia, de observar o nascer do sol, de escutar o canto dos pássaros, de assistir ao fluir misterioso de um rio, de saborear um jantar preparado na panela de barro em fogão a lenha? Minha memória diz que tudo isso é muito bom. Bem que essas coisas poderiam se repetir todos os dias. Alguém me contestaria? Uma agenda construída com experiências iguais a essas faria do cotidiano um exercício muito mais agradável! No entanto, não posso me enganar. A vida da maioria de nós é aparentemente escassa de prazeres, assemelhando-se mais com um campo de batalhas. Pior, parece que essa batalha não tem fim, repete-se a cada dia como uma indigesta rotina.

Passamos, então, a tramar alguma forma de sair dessa prisão. Temos as folgas, os feriados, os domingos e as férias, tempos celebrados dentro dessa liturgia social como um tipo de balão de oxigênio para o corpo cansado. E vamos respirar nas festas, nos *shoppings* e nos templos! Entretenimento, comércio e religião são, sob muitos aspectos, as melhores maneiras que encontramos para fugir do que é ordinário e maçante. Buscamos uma grande experiência que dê alívio e, quem sabe, sentido à nossa senda. Queremos o extraordinário, o radical, o impossível! Mas... seria esse o propósito da vida?

Poderia tecer dezenas de comentários sobre cada uma das ideias que a humanidade criou para reagir à rotina, mas vou me ater ao uso da religião para esse fim, pois tal uso apresenta um assunto precioso da espiritualidade: o contentamento, que é a coragem cristã para experimentar o comum. E como precisamos falar sobre isso hoje! Em tempos em que percebemos a supervalorização do desempenho, em que se vendem metodologias que põem o fazer acima do ser, e em que megaigrejas lutam para continuar crescendo sem, contudo, dar responsabilidades para a comunidade, no sentido de poder testemunhar o senhorio de Cristo na vida, cabe a nós retomar um princípio conhecido como prática da presença de Deus.

Ao comentar Gênesis 29.10, o reformador Martinho Lutero provocou dizendo que as pessoas do mundo pensam que ler histórias que envolvem personagens bíblicos em meio a tarefas comuns e cotidianas é perda de tempo. Para ele, somente os cristãos são capazes de ver e compreender que Deus está trabalhando nessas atividades comuns. A Bíblia está repleta de relatos do cotidiano, sem superlativos ou *glamour*. O texto escrito por Moisés e comentado por Lutero diz exatamente isso: "Logo que Jacó a viu com as ovelhas e cabras do seu tio Labão, ele foi, e tirou a pedra da boca do poço, e deu água para os animais" (Gn 29.10) Que fantástico! Não? Seja sincero: onde está Deus nessa passagem? Qual a verdade metafísica de uma cena tão habitual?

Talvez você tenha se esquecido daquilo que o brilhante harpista escreveu sobre o seu Deus: "tu me vês quando estou trabalhando e quando estou descansando; tu sabes tudo o que eu faço [...]. Estás em volta de mim, por todos os lados, e me proteges com o teu poder [...]. Aonde posso ir a fim de escapar do teu Espírito? Para onde posso fugir da tua presença?" (Sl 139.3,5,7). Não existe escape, nem possibilidade de fuga: é impossível pensar qualquer dimensão da existência, da mais corriqueira atividade àquilo que julgamos extraordinário, na qual Deus não esteja presente, nos protegendo e nos habilitando a viver. É a própria presença de Deus que dá sentido à rotina, pois, se estamos nele e ele está em toda parte, tudo o que fizermos será tão ordinário e comum como um figo é para uma figueira: simplesmente fruto.

Eternidade

Estar em Deus é como ser plantado na eternidade: quanto mais crescem as nossas raízes, mais perto estamos do infinito. A vida humana no Eterno é como árvore plantada junto a correntes de águas, que, no devido tempo, dá o seu fruto e cuja folhagem não murcha (Sl 1.3). Dar frutos no tempo certo é, portanto, cumprir com o propósito da existência, pois existimos no tempo. Mas as nossas raízes não estão aqui. É preciso ressaltar que os acontecimentos desse existir humano parecem apontar para além dele mesmo. Aquilo que sucede no cotidiano guarda em si um tipo de anseio.

Esse desejo natural pelo sobrenatural, do temporário pelo eterno, é algo colocado em nós por ele, o autor da vida. "Tudo fez Deus formoso no seu devido tempo; também pôs a eternidade no coração do homem" (Ec 3.11). O salmista Asafe toca o centro dessa realidade no famoso versículo: "A quem tenho nos céus senão a ti? E, na terra, nada mais desejo além de estar junto a ti" (Sl 73.25).

Ao comentar essa passagem, Calvino diz que a expressão "nada mais desejo além de estar junto a ti" equivale a "Sei que tu, por ti mesmo, à parte de todo e qualquer outro objeto, és suficiente para mim; sim, muito mais que suficiente, e por isso não me deixo desviar por uma infinidade de desejos, senão que descanso em ti e me contento plenamente contigo". Mas como ter a coragem para o comum, a compreensão da rotina dentro da vida cristã, sem abafar esse profundo desejo do coração? Como compreender isso?

Esse talvez seja o principal tema da espiritualidade na prática, se considerarmos que os diferentes ramos do cristianismo se desenvolveram, em certa medida, enfatizando este ou aquele plano: um buscando o perfeito vértice da comunhão com Deus e outro investigando a luz que pode iluminar o horizonte da vida comum. Evangélicos pietistas com seu discurso de separação do mundo e neocalvinistas de atitudes intramundanas são exemplos clássicos disso. Ora lutamos para transformar a rotina conforme os valores do reino, ora nos afastamos dela e, como um asceta, nos autoarremessamos aos céus. Queremos o Eterno, mas vivemos no tempo. Plantas de raízes imemoriais. Esse paradoxo faz parte da trajetória cristã desde sempre. A pergunta persiste: como resolver isso?

Permanência

Parece-me que uma reflexão mais profunda sobre chamado e contentamento seja a chave para essa questão. É urgente um pensamento que apresente a beleza incrível do comum, que de alguma forma consiga rir do exagero das muitas exclamações, das superlativas promessas de um insustentável devir. Uma espiritualidade dirigida por aquilo que as estatísticas chamam de relevante e extraordinário, fincada no desempenho, pode ser instigante e desafiadora, mas também se parece muito com uma fuga. Seu resultado, em muitos casos, é decepção e pessoas fracas, machucadas, deprimidas e desiludidas com

Deus e com o mundo. Se desejamos fazer algo grandioso para Deus, tornemo-nos mais humanos, conforme Jesus, o Nazareno, pois o fim da espiritualidade cristã não é fazer gente virar anjo! Precisamos nos alistar novamente nos campos vastos do cotidiano e encarar de novo o chamado da rotina.

A nossa fé precisa ganhar sustentabilidade. Constância e permanência, ganhar a rotina. É necessário, primeiro, uma consciência transformada pela Palavra de Deus, que o saiba como sabe o poeta do salmo 139: onipresente, onisciente e justo. Ele é aquele que penetra os meus pensamentos, conhece o meu íntimo, sabe quando me levanto e quando me deito, protege-me, cerca-me por trás e por diante e sobre mim põe a mão. Ah! Como precisamos entender isso! A mão do Senhor está sobre nós! Quem pode nos separar do seu amor? Mesmo quando a nossa alma adentra as densas trevas, o inferno em terra, quando criamos uma cama no mais profundo abismo existencial, quem encontramos lá? O próprio Deus!

Em segundo lugar, é necessário entender que, se Deus está presente, podemos ter comunhão constante com ele! Retomemos a herança preciosa da Reforma: *Coram Deo*, uma vida perante a face de Deus. Porque a verdadeira religião tem calos nas mãos, é vivida no trabalho, no ambiente familiar, na lida diária da vida real. É essa espiritualidade que eu quero. Não posso mais confinar minha relação com Deus ao quarto fechado. Não posso mais abandoná-lo no santuário que construí com minhas mãos para depois entrar na rotina sem ele. Preciso abrir os olhos para ver o Senhor na vida comum! Preciso crer que ele nunca me deixou, jamais me abandonou. Irmão Lawrence (1614–1691) disse algo que desejo viver: para ele, o horário de trabalho não diferia da hora de orar; no meio do barulho da cozinha, enquanto várias pessoas pediam coisas diferentes ao mesmo tempo, ele dizia estar com Deus, dentro de uma grande tranquilidade, como se estivesse ajoelhado diante do Criador.

O anseio pelo infinito acontece no âmbito daquilo que chamei de "o drama da rotina". O Eterno entrou no tempo. Na terra soprou o seu vento, a viração do dia, presença majestosa! Homens e mulheres, ouçam: não tenham medo. Não há por que se esconder da presença de Deus, como fizeram os nossos primeiros antepassados, Adão e Eva. Este é um novo tempo, época da graça, em que "têm sido doadas todas as coisas que conduzem à vida e à piedade" (1Pe 1.3). Aproveitem isso! Experimentem essa graça que nos alcança! Vivam como se estivessem o tempo todo diante dele, pois ele está o tempo todo perto de nós.

Pastores e líderes, agora prestem atenção! Eis aí um novo Êxodo. Deixem o povo ir! Não se enganem, porque, quando ensinamos que o sagrado está somente lá no templo, no alto do monte, nos eventos que organizamos ou no silêncio do quarto, enclausuramos o divino, sem notar que quem se torna prisioneiro somos nós. Quantos escravos de uma terrível ideia! Reféns de uma espiritualidade pela metade, enviesada e instrumentalizada para fins utópicos de ambições tenebrosas. Baseada em desempenho e rituais, insensível ao Deus que é espírito, essa espiritualidade perde de vista o que Jesus disse: "Mas vem a hora, e já chegou, em que os verdadeiros adoradores adorarão o Pai em espírito e em verdade; porque são estes que o Pai procura para seus adoradores" (Jo 4.23).

Eis aí um novo Êxodo; libertem o povo de Deus! Deixem que vivam a plenitude do Espírito todos os dias, pois ele está conosco todos os dias. Ele é a nossa porção. Ele é a nossa herança!

13

A reforma do coração: contra a heresia da agressividade

Maurício Zágari

É muito comum, quando se fala sobre a Reforma Protestante, pensar imediatamente em aspectos políticos e econômicos ligados à igreja romana, nas disputas de poder entre os nobres que desejavam se desvincular da autoridade papal e em questões análogas, de cunho organizacional. No entanto, abordar os princípios da Reforma somente pelo viés institucional, social, econômico e político é desvirtuar o cerne do que impulsionou os reformadores a buscar a transformação da realidade em que viviam, a saber, o coração do ser humano e seu posicionamento ante a vontade soberana de Deus.

A mola mestra da Reforma foi a necessidade de pôr o coração humano de volta em seu devido lugar; desconectá-lo do interesse pelas riquezas, motivador das indulgências; afastá-lo da ânsia por grandiosidade e poder temporal; desligá-lo das ambições materialistas, imanentes e fugazes, entre outras necessidades. A Reforma não trata, em primeira análise, dos intrincados meandros do poder imanente; pelo contrário, põe em primeiro plano a urgência de indivíduos mortos em delitos e pecados ganharem vida ao se religarem ao Espírito divino por meio da graça, mediante a fé. Ao resgatar a justificação pela fé somente e os demais *solas*, estava-se mirando a pureza da vivência do evangelho de Cristo no coração humano. Era preciso reorganizar a bagunça, pôr o foco no lugar certo e ensinar os fiéis a viver conforme Deus desejava, e não como estruturas humanas pseudoinerrantes impunham.

Nesse contexto de depuração do relacionamento entre o salvo e o Salvador, poluído por séculos de desvirtuamento promovido pela igreja romana, é possível elencar um sem-número de problemas impostos à alma humana que precisam ser sanados para que ocorra o cumprimento da vontade divina no seio de seu povo. De todas as muitas questões que poderíamos abordar, eu gostaria de dirigir a atenção especificamente a uma delas, que salta aos olhos por seu caráter de urgência em nossos dias: aquela que chamo de *heresia da agressividade*.

Jesus disse: "Com isso todos saberão que vocês são meus discípulos, se vocês se amarem uns aos outros" (Jo 13.35). Vê-se que o próprio Cristo estabeleceu qual seria o selo, o demonstrativo público, a carteira de identidade dos santos perante o mundo a fim de atestarem sua realidade enquanto discípulos de Jesus: *amor de uns pelos outros*. Não um amor pueril, mas abnegado, que nega a si mesmo em prol do próximo e por fidelidade a Deus. Realidade ratificada por João: "Desta forma sabemos quem são os filhos de Deus e quem são os filhos do Diabo: quem não pratica a justiça não procede de Deus, tampouco quem não ama seu irmão" (1Jo 3.10).

Esse amor precisa ser demonstrado por meio da replicação das virtudes manifestas em quem segue a Cristo, pelo poder do Espírito Santo, as quais incluem "amor, alegria, paz, paciência, amabilidade, bondade, fidelidade, mansidão e domínio próprio" (Gl 5.22-23). Sem essas características ou, no mínimo, a busca arraigada por elas, somos néscios ou farsantes travestidos de cristãos e, nesse caso, precisamos passar urgentemente pela reforma do coração.

Porém, larga fatia da Igreja tem dado as costas para virtudes como mansidão, paciência e amabilidade, e abraçado a agressividade como suposta "virtude" aceitável. Agem como se estivessem em um octógono, lutando contra o diferente e o divergente e crendo que o *Agnus Dei* está sentado na primeira fila, punhos cerrados, vibrando com cada murro e joelhada na cara do discordante. Esquecem do padrão bíblico: "Sejam completamente humildes e dóceis, e sejam pacientes, suportando uns aos outros com amor" (Ef 4.2)

Em tempos de televisão, rádio, redes sociais, *blogs*, *vlogs* e *podcasts*, as ágoras e os púlpitos eletrônicos permitiram, como jamais antes na história da humanidade, a livre manifestação do pensamento. Lamentavelmente, inumeráveis cristãos têm usado esses espaços para mostrar o seu lado mais belicoso. Blindadas por seus *notebooks* e *smartphones*, legiões de servos de Deus viraram gladiadoras da palavra, ofensoras do discordante e agressores de quem não coaduna com seus pensamentos, suas doutrinas e teologias. O resultado é que vimos o surgimento não de um povo conformado à natureza do manso Cordeiro, mas de uma turba violenta em seus ataques verbais aos diferentes e aos divergentes. E isso é um problema diante do mandamento bíblico "Não tenha inveja de quem é violento *nem adote nenhum dos seus procedimentos*" (Pv 3.31).

Navegue um pouco pelas redes sociais ou sintonize certos programas de TV e facilmente você verá irmãos agredindo irmãos: calvinistas e arminianos se atacam com sarcasmo e ofensas; pentecostais e cessacionistas se digladiam e se desmerecem com baixeza nas palavras; ortodoxos e adeptos da missão integral se espancam verbalmente; pedobatistas e credobatistas fazem chacotas mútuas; e por aí vai.

Esse comportamento agressivo se reproduz também na postura de certos líderes e seus seguidores no trato com pessoas que discordam da fé bíblica, como ateus, militantes *gays* e outros. Será essa a orientação bíblica? Ou seria "Irmãos, se alguém for surpreendido em algum pecado, vocês, que são espirituais, deverão restaurá-lo *com mansidão*" (Gl 6.1)? O que vemos em muitos âmbitos não é proclamação, é fúria. Parece que se esqueceu do mandamento "O seu falar seja sempre agradável e temperado com sal, para que saibam como responder a cada um" (Cl 4.6).

O mais triste, para não dizer incompreensível, é que, na maioria das vezes, os ataques agressivos entre irmãos em Cristo ou de cristãos a não cristãos tenham como justificativa a "defesa da sã doutrina". Ou seja (perceba a incoerência), para supostamente defender a boa-nova que prega amor, graça, mansidão, domínio próprio, dar a outra face, amar os inimigos e não devolver mal com mal, cristãos têm usado desamor, destempero, descontrole, ódio e violência verbal. E a Bíblia é clara: "Se alguém afirmar: 'Eu amo a Deus', mas odiar seu irmão, é mentiroso, pois quem não ama seu irmão, a quem vê, não pode amar a Deus, a quem não vê. Ele nos deu este mandamento: Quem ama a Deus, ame também seu irmão" (1Jo 4.20-21). Sim, biblicamente, destilar ódio e agressões em nome da sã doutrina ou "em nome de Jesus" faz de você um mentiroso, pois é incoerência no grau máximo. "Seja a amabilidade de vocês conhecida por todos. Perto está o Senhor" (Fp 4.5)

Lamentavelmente, as igrejas estão cheias de pessoas sujeitas a julgamento. O que Jesus disse sobre os agressivos foi "Eu, porém, lhes digo que basta irar-se contra alguém para estar sujeito a julgamento. Quem xingar alguém de estúpido, corre o risco de ser levado ao tribunal. Quem chamar alguém de louco, corre o risco de ir para o inferno de fogo" (Mt 5.22). Fazer isso "em nome de Jesus" ou "em defesa do evangelho" não faz de você menos digno da punição.

O coração de muitos que se chamam pelo nome do Cristo tem andado fora de sintonia com a natureza do Cristo, revelada de forma sintética no fruto do Espírito Santo. É por isso que tantos corações necessitam urgentemente de uma reforma. Caso contrário, teremos igrejas cheias de "defensores da sã doutrina" odiosos, ofensivos, ferinos, debochados, sarcásticos, verborrágicos, negativamente críticos e agressivos. Esse tipo de atitude e postura entre pessoas regeneradas pelo Senhor é uma anomalia, tal qual um câncer é uma anomalia entre as células saudáveis de um corpo. Temos de falar ou escrever o que transmite graça, e não raiva, prepotência e arrogância (cf. Ef 4.29-32): "[...] sejam pacíficos, amáveis e mostrem sempre verdadeira mansidão para com todos os homens" (Tt 3.2).

Agressividade "em nome de Jesus"

Quando se advoga que a forma de comportamento iracundo e agressivo não condiz com o que o evangelho exige de um cristão, constantemente surgem argumentos que tentam usar a ira santa de Deus como justificativa, como o episódio de Jesus derrubando as mesas dos vendilhões do templo. Como o Cristo se irou e saiu derrubando a mercadoria dos cambistas, há quem ache que temos sinal verde para atacar com fúria quem age ou crê diferente de nós. Errado.

Visto que a hermenêutica bíblica não permite construir uma doutrina ou formular um princípio de fé com base em uma passagem isolada da Escritura, pegar um episódio como o dos vendilhões como argumento teológico que tente justificar a agressividade é uma falha elementar, que gera comportamentos anticristãos. Sim, Jesus expulsou os vendilhões. Mas será que por causa disso o Senhor nos dá carta branca para sair açoitando quem cremos estar errando com Deus? A Bíblia apresenta uma enxurrada de passagens que respondem isso com um enfático *não* (cf. Mt 5.9,21-22,38-47; 7.3-5; Jo 13.34-35; 15.17; Rm 12.14-21; Gl 5.13-15; Ef 4.1-2; 1Pe 1.22; 1Jo 3.11-15; 4.7-12,19-21). A proposta da Nova Aliança, afirmada e reafirmada, é a da paz. Usar passagens como a de Jesus com os vendilhões para tentar validar um comportamento horrível é uma aberração teológica.

Há ainda quem argumente, em prol da agressividade "em nome de Jesus", que a ira divina contra o pecado nos daria permissão para agir com ira na hora de "defender a fé" ou de argumentar com quem discordamos. Sobre isso, importa lembrar um fato basilar, mas de que muitos, aparentemente, se esquecem: embora Deus seja o nosso exemplo, *nós não somos Deus*. Ele pode fazer o que bem entender; nós não. Ele é o dono da vida; nós não. Deus tem todo o direito, por exemplo, de acabar com a vida de uma pessoa, mas, se fizermos isso, nos tornamos assassinos.

Isto é muito importante: *Deus fazer algo não nos dá o direito de fazer a mesma coisa*. Se o Senhor manifesta — e tem todo o direito de manifestar — a sua justa ira, o que ele nos diz é que a ira humana é uma das obras da carne (Gl 5.20), a ponto de estabelecer um prazo para a permanência dela: "Quando vocês ficarem irados, não pequem. Apaziguem a sua ira antes que o sol se ponha, e não deem lugar ao Diabo" (Ef 4.25-27). A proposta do domínio próprio é clara: "O tolo mostra toda a sua ira, mas o sábio a controla em silêncio" (Pv 29.11). Portanto, não, a ira de Deus não nos dá o direito de agirmos com ira e acharmos isso bíblico, pois não é. Biblicamente falando, é tolice.

Adeptos da agressividade praticada "em nome de Jesus" também citam, para se justificar, episódios de rispidez de Atanásio contra Ário, Agostinho contra Pelágio, Lutero contra

Leão X, e outros episódios de confrontos apologéticos. Acham bonito Calvino ter pedido a morte de Miguel Serveto. Apesar de todos os gigantescos favores que tais verdadeiros apologetas fizeram à causa do evangelho, nosso modelo tem de ser sempre o Espírito Santo, e não homens sujeitos à depravação. Paulo e Pedro se confrontaram na face? E quem disse que isso foi o melhor a ser feito? Tais bons homens erraram em sua vida, e erraram muito. Que seus erros sejam uma lição para nós do que não fazer, e não um estímulo para repeti-los.

Devemos nos espelhar em exemplos mais louváveis, como o texto da *Epístola a Diogneto*, primor da apologética cristã. É curioso notar que, enquanto nos nossos dias muitos fazem a pseudoapologética do "Ah, vá carpir um lote, seu herege", o autor começa o texto se dirigindo ao seu destinatário não com agressões ou acusações, mas com o respeitoso tratamento "Excelentíssimo Diogneto", mostrando que não é necessário ofender para defender. O objetivo do remetente não é desqualificar ou detonar aquele a quem se dirige, pelo contrário: "Aprovo este teu desejo e peço a Deus [...] que me conceda dizer de tal modo que, ao escutar, te tornes melhor".[1]

É lamentável ver defensores da "sã doutrina" defenderem Jesus com a espada, tal qual Pedro decepando a orelha de Malco. Não compreenderam as palavras de Cristo: "Guarde a espada! Pois todos os que empunham a espada, pela espada morrerão" (Mt 26.52). Não devemos perecer pela espada, mas viver pelo amor e pregar a graça que transforma, em vez da ira que promove "guerras eclesiásticas santas", intramuros ou extramuros. Jamais podemos jogar no lixo o mandamento de amar o próximo sob o argumento de defender o evangelho. Seria o paroxismo da incoerência.

Elencar personagens bíblicos ou da história da Igreja que agiram de modo destemperado para justificar um modo de ser petulante, arrogante e belicoso é tão errado quanto pegar trechos das Escrituras para justificar a teologia da prosperidade, quanto alegar defesa da fé para justificar as cruzadas ou quanto se basear na importância do perdão para justificar as indulgências. Todos erros baseados em pressupostos "bíblicos".

Paulo é enfático ao dizer que nosso chamado em Cristo implica que andemos "de maneira digna da vocação que [recebemos]". E diz também: "Sejam completamente humildes e dóceis, e sejam pacientes, suportando uns aos outros com amor. Façam todo o esforço para conservar a unidade do Espírito pelo vínculo da paz" (Ef 4.1-3). No trato com o próximo, devemos sempre nos lembrar da regra de ouro: "Em todas as coisas façam aos outros o que vocês desejam que eles lhes façam. Essa é a essência de tudo que ensinam a lei e os profetas" (Mt 7.12).

Não podemos nos deleitar no confronto. Se partimos para a agressividade a fim de defender o evangelho da paz e o reino do Príncipe da paz, agimos como um pacifista que lança granadas e dá tiros no meio da multidão em seu protesto em prol da paz. É contraditório e absurdo. E, no âmbito da fé, é heresia.

Heresia

Espere um momento. Você leu *heresia*? Sim, leu. E explico. A Igreja, sem perceber, tem vivido uma heresia tão grave quanto o condicionamento do perdão ao pagamento de dinheiro, a infalibilidade papal e outras práticas condenadas na Reforma Protestante. E, dado o amplo espectro de definições existentes sobre o que seria heresia, adoto a apresentada pelo pastor e teólogo Justin S. Holcomb: "Tradicionalmente, um herege é alguém que comprometeu uma doutrina essencial, geralmente por simplificá-la demais e, dessa forma, perdendo de vista quem Deus realmente é e o que ele fez por nós".[2]

Também encaixo no conceito de heresia o que está em desarmonia com a Bíblia e apresenta unilateralidade de apreciação doutrinária, contradição com os fatos e incoerência lógica.

À luz desse conceito, dizer-se cristão e ser debochado, ofensivo e desagradável, falar com raiva, publicar *posts* agressivos nas redes sociais, gravar programas de TV, *podcasts* e *vlogs* com ataques virulentos contra quem considera ser um mau cristão e partir com ira para cima de gente que pensa diferente é perder de vista quem Deus é. Não por defender o que é certo, mas por fazê-lo de modo violento, atribuindo a Deus a concordância com essa violência. Afinal, justificar tal tipo de comportamento como normal entre cristãos é acusar Deus de ser favorável à agressão, ao sarcasmo, à bufonaria, a um estilo de vida desagradável. E o Deus revelado na Nova Aliança não é assim.

Logo, ser uma pessoa agressiva e desagradável e dizer que Deus concorda com isso é esculpir um deus diferente do Deus bíblico. Portanto, é criar e seguir um deus imaginário, falso. Consequentemente, é abraçar uma heresia. Cristo não endossa reações mundanas para "defender a verdade". Isso vale, em especial, para cada sacerdote que, à luz da Bíblia, precisa ser, entre outras coisas, não violento, "mas sim amável, pacífico" (1Tm 3.3), "irrepreensível: não orgulhoso, não briguento, [...] não violento, [...] amigo do bem, sensato, justo, consagrado, [que] tenha domínio próprio" (Tt 1.7-8). Se você vir um líder eclesiástico que age de modo diferente desse... desconfie. E não se deixe influenciar por ele.

Você é um cristão que critica aqueles de quem discorda com palavras ríspidas, argumentos ferinos, testa franzida, deboche nos comentários e ataques implacáveis e crê que isso agrada o seu Deus? Estranho. Pois o Deus da graça, da misericórdia, da justiça e do amor não se comporta de modo repulsivo nem nos insta a isso. A Escritura é clara em reprovar tal conduta: "Com a língua bendizemos o Senhor e Pai, e com ela amaldiçoamos os homens, feitos à semelhança de Deus. Da mesma boca procedem bênção e maldição. Meus irmãos, não pode ser assim!" (Tg 3.9-10). Falar de temas bíblicos de um jeito antibíblico não tem nada a ver com Cristo. Ouçamos a advertência: "Evite a ira e rejeite a fúria; não se irrite: isso só leva ao mal" (Sl 37.8).

O problema é antigo. A agressividade "em nome de Jesus" não é um câncer novo no seio da Igreja. Muitos dos pais do deserto acreditavam-se mais dignos e santos que outros cristãos e por isso foram se tornando intolerantes, fanáticos e até mesmo agressivos. Desnecessário falar dos cruzados. No século 13, seguidores de Joaquim de Fiore tornaram-se radicais e violentos. O anabatismo do século 16 descambou para um movimento hostil e agressivo. "O anabatismo é um triste exemplo e uma lamentável lembrança de que, na História da igreja, as divergências teológicas nem sempre permaneceram apenas circunscritas ao âmbito das ideias, mas, infelizmente, os protestos ganharam contornos de agressividade".[3] Portanto, os "cristãos agressivos" de nossos dias apenas estão dando continuidade a uma triste tradição, ratificando que "Nada debaixo do sol é realmente novo" (Ec 1.9).

Se o problema é antigo, continua sendo gravíssimo. O físico Stephen Hawking, considerado um dos mais importantes cientistas da atualidade, deu uma declaração impressionante: ele disse, no início de 2016, que a agressividade é a maior falha da raça humana. O professor e astrofísico britânico disse: "A falha humana que eu mais gostaria de corrigir é a agressividade. Ela ameaça destruir todos nós". Segundo Hawking, a agressividade é uma característica humana que pode ter sido útil em outras eras, mas agora é perigosa, "a ponto de poder acabar com a humanidade". Aos meus olhos cristãos, é doloroso ver que até um ateu perceba o que muitos de meus irmãos em Cristo parecem não enxergar.

Corrigir com mansidão os que se opõem

Proponho que preguemos, busquemos e vivamos a reforma do coração. Não adianta condenar práticas neopentecostais esdrúxulas, universalismo, teologia da prosperidade, confissão positiva, pelagianismo e outras heresias e manter o coração poluído, verborrágico e ofensivo. Um erro não justifica o outro. "Homens de Deus" que agem assim estão errados. Líderes que lideram com furor e arrogância estão errados. Formadores de opinião que querem formar a opinião alheia a partir de discursos ríspidos e irascíveis estão errados. Teólogos que usam seu conhecimento para justificar um ensino "bíblico" com agressão estão errados. Nenhum deles é exemplo, e precisam urgentemente ser admoestados em amor. Atribuem a Deus a concordância com algo com que ele não concorda; logo, criam um outro deus. Precisam passar pela reforma do coração. Precisam voltar ao evangelho.

É indispensável combater a heresia da agressividade — como qualquer outra heresia — com amor e graça, denunciando esse pecado e convidando os que o praticam ao arrependimento, "pois é da vontade de Deus que, praticando o bem, vocês silenciem a ignorância dos insensatos" (1Pe 2.15). Se queremos promover uma nova reforma, é forçoso começar pela reforma do coração, chamando todo herege ao abandono de seus maus caminhos e à conversão à santidade da misericórdia, do trato afável, da amabilidade.

Portanto, como povo escolhido de Deus, santo e amado, revistam-se de profunda compaixão, bondade, humildade, mansidão e paciência. Suportem-se uns aos outros e perdoem as queixas que tiverem uns contra os outros. Perdoem como o Senhor lhes perdoou. Acima de tudo, porém, revistam-se do amor, que é o elo perfeito.

Colossenses 3.12-14

Precisamos encorajar os adeptos da heresia da agressividade a não devolver mal com mal, a não usar palavras torpes, a serem pacificadores bem-aventurados; em suma, a serem e agirem como imitações de Cristo. Essa é a reforma mais urgente pela qual a igreja de nossos dias precisa passar, pois dela depende todo o resto. Se a Igreja conseguir erradicar heresias como teologia da prosperidade, liberalismo teológico, misticismos, neognosticismo, modalismo, arianismo, docetismo, pelagianismo, adocionismo e outros *ismos,* mas continuar praticante de agressividade, ofensas e palavreado sarcástico... ela simplesmente não será a Igreja de Cristo. Pois "toda árvore boa dá frutos bons, mas a árvore ruim dá frutos ruins. A árvore boa não pode dar frutos ruins, nem a árvore ruim pode dar frutos bons. Toda árvore que não produz bons frutos é cortada e lançada ao fogo" (Mt 7.17-19). E agressividade é um péssimo fruto. Além disso, convém atentar para a orientação de Paulo:

> Visto que Deus os escolheu para ser seu povo santo e amado, revistam-se de compaixão, bondade, humildade, mansidão e paciência. Sejam compreensivos uns com os outros e perdoem quem os ofender. Lembrem-se de que o Senhor os perdoou, de modo que vocês também devem perdoar. Acima de tudo, revistam-se do amor que une todos nós em perfeita harmonia. Permitam que a paz de Cristo governe o seu coração, pois, como membros do mesmo corpo, vocês são chamados a viver em paz.

Colossenses 3.12-15

Por fim, para não apontar um problema sem recomendar uma solução, gostaria de contribuir para a reforma do coração. Alguém poderia perguntar: se praticar a heresia da agressividade não é o caminho, qual é? Deixemos Paulo responder com aquele que considero ser o trecho áureo da Bíblia sobre como devem ser feitas a apologética e o evangelismo. Um trecho a ser lido, relido e gravado a ferro e fogo no coração e na mente.

> Ao servo do Senhor não convém brigar mas, sim, ser amável para com todos, apto para ensinar, paciente. Deve corrigir com mansidão os que se lhe opõem, na esperança de que Deus lhes conceda o arrependimento, levando-os ao conhecimento da verdade, para que assim voltem à sobriedade e escapem da armadilha do Diabo, que os aprisionou para fazerem a sua vontade.
>
> 2Timóteo 2.24-26

Paz. Amabilidade. Paciência. Mansidão. Confiança em Deus. Esse é o caminho. Defender a fé nas palavras contrariando a fé no modo de agir não é defender a fé, mas viver uma religiosidade fria, apócrifa, herética e, logo, não cristã: "Se alguém se considera religioso, mas não refreia a sua língua, engana-se a si mesmo. Sua religião não tem valor algum!" (Tg 1.26). Enquanto muitos não enxergarem isso, é nosso papel pregar insistentemente o evangelho do manso Cordeiro e do Príncipe da Paz, até que — queira Deus — os tais consigam contemplar a verdade e se convertam da destrutiva heresia da agressividade para o transformador e libertador evangelho da paz.

E isso só será possível mediante a mais urgente reforma de todas as que a Igreja precisa vivenciar: a reforma do coração.

14

A multiface da Igreja evangélica brasileira

Miguel Uchôa

A Igreja evangélica brasileira é multifacetada e hoje constitui um caleidoscópio eclesiástico do tipo que, quanto mais se mexe, mais suas cores mudam e uma nova configuração surge. Não sou defensor da uniformidade nem acredito que ela seria positiva para uma nação miscigenada como a brasileira. Sou bispo anglicano e minha denominação já me dá um pano de fundo da diversidade com a qual convivo e que creio ser salutar. Enquanto celebramos quinhentos anos do movimento eclesiástico-político-social chamado Reforma Protestante, queremos fazer uma análise de seus principais postulados com um olhar crítico o suficiente para enxergar os possíveis desvios de propósito enquanto sugerimos algumas pistas para uma possível retomada de suas primeiras intenções.

Os postulados da Reforma do século 16

Quando, em 31 de outubro de 1517, o monge Martinho Lutero afixou 95 teses na porta da igreja do castelo de Wittenberg, dando início ao movimento conhecido como Reforma Protestante, não fazia ideia de onde chegaria. Sua intenção mais sincera era restaurar a igreja e mantê-la una, santa, católica e apostólica. Não imaginava que aquele ato causaria a formação de tantas igrejas independentes e, em especial, geraria esse caleidoscópio eclesiástico de matiz eventualmente protestante. O movimento apontou para alguns pontos norteadores. Comecemos observando a simplicidade de suas propostas.

Justificação pela graça mediante a fé (Ef 2.8). A doutrina da salvação pelas obras estava em destaque, e a Reforma veio declará-la enganosa. A salvação procede da misericórdia de Deus. A Reforma ratificou: a salvação vem pela graça, e a alcançamos exclusivamente pela fé.

A centralidade de Cristo (Jo 14.6). O papa se tornara cabeça da igreja e autoridade inquestionável, o "vigário de Cristo". A autoridade estava nele, e isso retirava de Jesus a centralidade que a Bíblia lhe dava. A Reforma veio ratificar que toda autoridade é de Cristo (Mt 28.18).

A autoridade das Escrituras (2Tm 3.16). A tradição e o magistério sobressaíam em detrimento da sã doutrina e norteavam as decisões da igreja. A Reforma conseguiu, então, restaurar a autoridade das Escrituras. A partir daí, surge a base quíntupla sobre a qual se escora a Reforma Protestante: *Sola Fide, Sola Scriptura, Sola Gratia, Solus Christus, Soli Deo Gloria.* Tudo o que fosse acrescentado seria periférico. E aqui começa a dificuldade da igreja brasileira de centrar a missão naquilo que de maneira simples deveria norteá-la.

Onde estamos como Igreja evangélica brasileira?

Não é fácil identificar ou definir a Igreja evangélica brasileira. Ela é hoje uma igreja confusa, que se distancia da Reforma Protestante numa perceptível rapidez. Esse vínculo está comprometido. Já disse que não defendo uniformidades, sequer sou tradicionalista, mas o que trouxe a igreja até aqui é uma linha que não pode ser esquecida, sob pena de perdermos o fio da meada e, quando desejarmos voltar, já não ser possível. Cabe a pergunta: onde estamos na identificação com a Reforma Protestante?

Onde estamos quanto à justificação pela graça mediante a fé?

Certo dia, voltando do trabalho, escutei uma declaração de um pastor de uma grande denominação em uma rádio evangélica: "Você está pensando o quê? Que a salvação é fácil? Só crer e pronto?". Parei e esperei pelo pior, que ainda viria. "Não é assim, tem de se esforçar e se sacrificar". Eu não conseguia acreditar no que estava ouvindo. Pensei: "Um pastor *protestante* desconstruindo a salvação pela graça mediante a fé, uma das principais colunas da Reforma?".

A Igreja evangélica brasileira receia anunciar a salvação pela graça porque acha pouco. É barato demais. Exigir apenas que alguém aceite a Jesus é pouco diante do que se criou como degraus para a salvação e a obtenção de seus benefícios. Dois motivos podem estar por trás desse temor.

Primeiro, no que se refere à manutenção da membresia, a preocupação com o crescimento numérico de alguns grupos é enorme. Crescer numericamente faz parte do mandato de Jesus, são vidas alcançadas, batizadas e ensinadas a viver a fé. Mas tudo ocorre dentro da graça e não da Lei e das exigências eclesiásticas, as quais não são ensinadas no Novo Testamento. Igrejas evangélicas brasileiras ainda exigem de seus membros mais do que Jesus exigiu.

Segundo, no que se refere à imposição dos usos e costumes, que substituem a sã doutrina, Paulo apresenta sempre o evangelho da graça em contraposição ao legalismo. Para ele, o evangelho não é a observância de costumes, isso é obra demoníaca (1Tm 4.1-3; Cl 2.20-23). O embate entre os primeiros discípulos naquilo que conhecemos como o Concílio de Jerusalém

(At 15.10,28-29) pode ser comparado com discussões travadas hoje na Igreja evangélica. O retorno à pregação exaustiva desse princípio e à prática intencional do ensino da graça mediante a fé é urgente. Para isso, os líderes devem ter a coragem de assumir que nada além da fé é necessário para a salvação.

Onde estamos quanto à centralidade de Cristo?

Na igreja da pré-reforma, a centralidade de Cristo estava distante de ser uma realidade. A idolatria e a busca constante de mediadores entre Deus e o homem eram fato. O magistério da igreja tinha o papel de interpretar e transmitir o que deveria ser obedecido. Diante disso, o comprometimento da centralidade de Cristo estava decretado. Não podemos esquecer que a Bíblia não estava disponível no vernáculo, nem presente nas mãos do povo. Assim, ganhou força a inclusão de doutrinas interpretadas à luz do magistério.

Sem generalizar, os púlpitos da Igreja evangélica brasileira experimentam declínio no ensino da centralidade de Cristo. Talvez você considere essa afirmação exagerada; se é o caso, tome-a como uma exortação para o futuro. Percebo um sutil início do que talvez seja uma prática involuntária, que tira Jesus do centro da mensagem do evangelho. Essa substituição ocorre em parte pelo que se conhece como culto à personalidade, aplicado ao mundo da religião, em que líderes surgem com um espírito messiânico, destacadamente salvador e inalcançável, e se fazem ver como "inerrantes". O centro de tudo, nesses ambientes eclesiásticos, acaba sendo essa personalidade. Aquilo que ela diz tem autoridade por ser "inspirado". Cresce esse tipo de líder na Igreja brasileira.

Existem também setores conservadores que não negam a centralidade de Cristo, mas suas ênfases estão no academicismo, em que a titulação é pré-requisito para a sabedoria e a oratória é o modelo de comunicação. Nesses ambientes, há uma preocupação focada na ética, mas se trata de uma ética cheia de moralismo. Assim, vão empurrando Jesus para fora do centro, levando-o à periferia de seu discurso.

Nas igrejas neopentecostais, Cristo não tem sido o centro e raramente se escuta a ênfase na salvação exclusiva em Jesus. Na realidade, nesses ambientes pouco se fala em salvação da alma, mas, sim, na salvação material dos negócios, da casa dividida, do filho drogado ou de uma dor de cabeça. Sempre haverá um apelo financeiro com retorno garantido a ser desfrutado de imediato. Entre os pentecostais, os históricos e as comunidades livres, há uma forte ênfase na adoração espontânea. No entanto, muitas canções não são centradas em Cristo e falam sempre nos *direitos* do crente. Nesse campo, o carisma, os projetos de crescimento e a visibilidade do ministério ofuscam a centralidade de Jesus.

A "ditadura" do politicamente correto toma a exclusividade de Cristo para a salvação como algo intolerável. O receio de contrariar esse pensamento e ser considerado intolerante amedronta alguns. Mas, na mensagem do evangelho, tudo deve girar em torno de Cristo, e não há como mudar tal cenário sem um ensino intencional e pregações cristocêntricas.

Onde estamos quanto à autoridade das Escrituras?

Quando comecei a ser discipulado pelos grupos da Aliança Bíblica Universitária (ABU), entendi bem a recomendação de Paulo a Timóteo: "Toda a Escritura é inspirada por Deus e útil para nos ensinar o que é verdadeiro e para nos fazer perceber o que não está em ordem em nossa vida. Ela nos corrige quando erramos e nos ensina a fazer o que é certo" (2Tm 3.16). Sem a Escritura, não há cristianismo. É ela que nos alimenta da verdade, conduzindo-nos à espiritualidade sólida. Onde estamos nesse particular? Não é uma resposta fácil; corremos o risco de uma avaliação limitada. Existem círculos em que a Escritura é ensinada com zelo e cuidado, mas existem outros em que ela tem sido esquecida, e a intuição de pregadores é posta no patamar de autoridade escriturística.

Quando Martinho Lutero esteve diante da Dieta de Worms, em 1521, o instaram a se retratar por ter tornado públicas suas 95 teses. Sua resposta foi corajosa: "A menos que seja convencido pelas Escrituras e pela razão pura, e já que não aceito a autoridade do papa e dos concílios, pois eles se contradizem mutuamente, minha consciência é cativa à Palavra de Deus. Eu não posso e não vou me retratar de nada, pois não é seguro nem certo ir contra a consciência. Deus me ajude. Amém". Ao fazer essa declaração, Lutero deu início ao movimento da Reforma. Sua base é a Escritura.

Buscando uma relação com a declaração de Lutero, admito que estamos nos distanciando do conceito *Sola Scriptura*. A igreja brasileira necessita urgentemente associar seu incontestável crescimento ao ensino da Bíblia. Todos queremos ver a igreja avançar e crescer, mas nenhum crescimento se sustenta sem raízes aprofundadas.

Por um lado, há líderes evangélicos extremistas quanto ao tema, o que me incomoda bastante. Em nome da ortodoxia, eles condenam o crescimento numérico, alegando ser uma preocupação superficial. Porém, ao fazer isso, ignoram o que a ortodoxia recomenda, pois não saem em busca dos perdidos. O rigor pelas Escrituras não nos isenta da necessidade de alcançar os perdidos. O conhecido "amor pelas almas" parece não existir em alguns grupos ditos "reformados". Os tais optam por uma "exposição escriturística" sem contextualização, mas repleta de conhecimento que de nada alimenta a alma sedenta do ser humano. O resultado são igrejas ortodoxas nas

Escrituras e com bancos vazios, nas quais a mensagem não encontra guarida no coração. Isso nega a Grande Comissão (Mt 28.16-20). A análise das Escrituras de maneira mais profunda deveria encontrar nelas mesmas a maior razão para a expansão.

No outro extremo, há aqueles que entendem o apego às Escrituras como fundamentalismo. Esses até têm visão de expansão, querem ver a igreja crescer e estão dispostos a pagar um alto preço. A pregação nesses grupos é normalmente repleta de experiências pessoais, mais que de ensinos bíblicos. Como seus cultos são inspiradores e pontuados por música de qualidade, estimulam o visitante a retornar, e isso vai trazendo a sensação de que há missão cumprida. Muitas vezes, porém, não há, e por uma razão simples: o evangelho precisa atrair, mas também convencer o pecador de seu pecado e levar as pessoas a uma tomada de posição acerca de Cristo. Há muitas igrejas nesse grupo. Não são mal-intencionadas, mas rasas. Seus pastores trabalham muito, se esforçam muito, mas, por algum motivo, o ensino das Escrituras não é parte de um programa intencional.

Observo que, no primeiro caso, o líder é um mestre, a igreja é uma escola e a fé é uma matéria a ser investigada. Já no segundo caso, o líder é uma pessoa com carisma, a igreja é um ambiente social e a fé é algo que tem a ver com sentimentos. Assim, ambos vagueiam pelos extremos e se afastam do que é uma igreja saudável na observação das Escrituras em sua aplicação aos princípios da vida.

Onde queremos estar como Igreja evangélica brasileira?

Devemos almejar estar na posição de igreja que faz história. Isto é, que cresça, ministre salvação pela graça mediante a fé, seja centrada nas Escrituras e tenha Cristo no centro de sua vida e mensagem. Uma igreja que não tenha uma bandeira e que busque o equilíbrio entre os propósitos de Deus. Igreja que enxergue a dimensão vertical, mas não se esqueça de olhar na horizontal, na direção do ser humano e de suas necessidades. Uma igreja multifacetada, em uma nação miscigenada, mas com raízes fundas.

Deus queira que essa igreja prevaleça no Brasil. Afinal, de nada adianta ser a igreja da maioria se isso não fizer nenhuma diferença na vida do país.

15

Uma nova reforma na Igreja? Sim, na liderança!

Nancy Gonçalves Dusilek

A palavra "comemoração" carrega a ideia de relembrar, festejar alguma ação feita no passado. Há quinhentos anos, a história da Igreja foi redirecionada, graças ao grito e à ousadia de Martinho Lutero, um líder inconformado com os rumos que a Igreja havia tomado. Agora, depois de cinco séculos, continuamos a comemorar a ousadia de um simples servo de Deus, que saiu de sua zona de conforto para denunciar o que acontecia na Igreja Católica Apostólica Romana daquela época.

E hoje? Precisamos de reforma na Igreja evangélica? Entendo que sim. Não nos moldes de Lutero e seu contexto, mas na liderança, para que a Igreja evangélica de hoje tenha líderes comprometidos com os valores da Palavra de Deus e não usem a posição como mecanismo de negociar bênçãos, mas estejam prontos para ajudar o rebanho com alimentação adequada, estudando profundamente a Bíblia.

Martinho Lutero

Lutero nasceu em uma família simples, de trabalhadores domésticos. Apesar de o pai ser extremamente agressivo, ele incentivou os filhos a estudar. Extremamente inteligente e saudável, Lutero teve êxito nos estudos. Saiu de casa aos 14 anos e recebeu os diplomas de bacharel e de mestre em Direito no menor tempo legalmente permitido na época. Lutero desde cedo demonstrou gostar de debates, característica que contribuiu para que se tornasse um dos grandes transformadores da história. Depois de uma experiência vivida aos 22 anos, largou o Direito e resolveu ingressar na vida monástica. Em dois anos tornou-se monge agostiniano.

O jovem padre aprendeu que Deus "exige absoluta justiça", e não a venda de perdão a quem o busca, uma estratégia interesseira dos líderes da Igreja Católica da época. O dinheiro arrecadado com a venda das chamadas indulgências prestava-se a motivos políticos, entre eles, a construção da Basílica de São Pedro, em Roma.

Assim, ao ler na Bíblia que "O justo viverá da fé" (Rm 1.17), Lutero teve um clique e em sua mente ficou claro que o perdão dos pecados não depende de negociações, mas da fé no Senhor Jesus Cristo, o mediador entre Deus e o ser humano. Só há esse caminho, e Lutero foi em frente na defesa de sua crença — e isso dividiu a igreja. Portanto, o que ocorreu na Reforma não foram questões ligadas a liturgias ou desavenças entre líderes, mas divergências quanto a interpretação da Palavra de Deus.

Lutero foi um líder que disse "basta" a um procedimento ilegal diante das Escrituras. Ele teve coragem de assumir e denunciar, o que começou a fazer no dia 31 de outubro de 1517, ao tornar públicas suas 95 teses (ou afirmações), escritas em latim, e que rapidamente foram traduzidas para o alemão. Por contestar a liderança católica de então, Lutero foi excomungado, mas o duque Frederico o abrigou e, durante sua reclusão, o monge traduziu o Novo Testamento do grego para o alemão. Os cinco mil exemplares esgotaram-se em três meses.[1]

A nova reforma na liderança eclesiástica

Vejo, hoje, a necessidade de um maior cuidado com a liderança cristã evangélica no Brasil. É imperativa uma reforma nessa área, para que tenhamos líderes saudáveis e, com isso, o rebanho não adoeça. Não é qualquer pessoa que pode ser líder e pastorear o rebanho do Senhor. Há de ser alguém realmente chamado por Deus, que tenha vida cristã exemplar e caráter moral a toda prova; um líder interessado no bem da ovelha e não nos bens da ovelha, como menciona Osmar Ludovico no artigo *Pastores e lobos*.[2]

A quantidade de denominações e grupos diferentes que existem hoje no cenário evangélico brasileiro em sua maioria não surgiu porque houve interpretação herética das Escrituras, mas devido a uma rivalidade de egos. Seus fundadores são pessoas que não aceitam ser lideradas e, com carisma e sem caráter, aliciam membros que não questionam e formam novos grupos. São pessoas que desejam estar em evidência, geralmente indivíduos com baixa autoestima que precisam estar no topo para se sentir bem. Esquecem que Jesus caminhou com a cruz, apesar de toda autoridade que tinha.

Um líder cristão precisa desenvolver a autoliderança. Quem não se lidera não tem condições de liderar pessoas. Para isso, é preciso autoconhecimento, saber identificar as próprias qualidades e falhas. Ninguém é perfeito, pois somos todos humanos, inclusive os líderes religiosos. O problema é que muitos deles se acham o suprassumo e, por isso, colocam títulos à frente do nome, como se a autoridade espiritual estivesse vinculada a títulos. O Mestre dos mestres teve um só título: "servo".

O líder precisa ter conhecimento de onde quer chegar com seu povo. Gosto da colocação do pastor Adauto Lourenço sobre Noé. Ele disse certa vez: "Noé planejou tudo com antecedência. Noé executou tudo com eficácia. Noé conduziu tudo com diligência. E aí o sucesso ao vencer o dilúvio". Líderes que não planejam e, por isso, as coisas acontecem do jeito e na hora que eles desejam trazem insegurança ao grupo. Se Deus se planejou para criar o mundo e prover o nascimento de Jesus, quem somos nós para não fazer planos?

O líder de hoje deve ser um eterno aprendiz. A tecnologia e o avanço das trocas de informação não podem ser ignoradas. O líder de hoje precisa acompanhar esses progressos para poder se comunicar com a nova geração. Esse aprendizado também inclui muitas leituras, a fim de oferecer alimentação forte e saudável ao rebanho. Não é por gritos, mágicas ou repetições que uma pessoa cresce, mas por uma boa alimentação. O líder é o responsável por alimentar as ovelhas de Cristo; portanto, precisa absorver conhecimento para, depois, transmitir ao grupo.

Um líder comprometido com Deus dialoga com seus agregados, pois essa é uma forma de conhecer as pessoas mais de perto e assim pastoreá-las. Muitos líderes terceirizam essa função, o que é lamentável. Infelizmente, muitos líderes se aproveitam dessas informações e chantageiam os liderados; daí a quantidade de "flagelados da fé", pessoas que saem da igreja frustradas com o comportamento do líder. Mas esses mesmos líderes terão que prestar contas a Deus por suas atitudes.

Há líderes cordiais com as ovelhas mas carrascos com os familiares! Quantos lares de líderes são desfeitos por negligência deles! Se o líder não consegue liderar a própria família, vai querer liderar uma família espiritual? "Que aproveita ao homem ganhar o mundo inteiro e perder a sua alma?" (Mc 8.36).

Vemos lideranças que misturam conceitos de várias correntes religiosas para agradar a todos a fim de não perder adeptos. Por isso, quando não é Jesus o centro de toda mensagem, vemos aberrações em alguns grupos, destinadas a agradar o ouvinte. Esses líderes oferecem uma religião de sucesso pessoal, não de compromisso com o Senhor Jesus.

Uma reforma na liderança também está relacionada à dificuldade de muitos líderes em dar espaço para novos líderes. Não existe cadeira cativa em liderança. Há líderes que já perderam toda a força física e a motivação emocional, mas não largam o posto. Em três anos Jesus preparou doze líderes, inclusive o que seguiu o caminho do mal por opção pessoal. Muitos passam mais de cinquenta anos sem conseguir alguém que os substitua simplesmente porque não abrem espaço. Na realidade, é puro medo de perder o poder.

Uma reforma da liderança se faz urgente porque muitos líderes querem crescer não *com* as pessoas, mas *sobre* as pessoas. Eles instilam medo e insegurança, pois essa é uma forma velada de se manter no poder. Isso é manipular as emoções dos liderados. Um líder doente adoece os liderados, já um líder saudável lhes transmite saúde.

Infelizmente, hoje em dia é *fashion* ser *gospel*. Mas não é isso que Deus quer de nós. Não é estar na moda, mas ter compromisso com o Salvador Jesus Cristo. Mede-se o sucesso do líder pelo número de membros de sua comunidade, pela franquia da marca daquela igreja e do líder, pelo valor financeiro que entra no caixa da igreja, pelo tamanho do templo e até pelo tipo de carro e mordomias que se recebe. É isso que Deus nos orienta a buscar? Jesus não tinha onde reclinar a cabeça porque não dispunha de um lugar próprio. Em contrapartida, hoje há líderes que não sabem onde reclinar a cabeça porque possuem muitos endereços muito bem localizados — e, alguns, sofisticados.

O que dizer de alguns líderes de grupos de louvor que estão mais interessados no que ganham do que no Deus que louvam? Para eles, o Deus do louvor torna-se um ponto de acesso ao interesse pessoal, mas de nada adianta "louvor na vida" se quem louva não tem "vida de louvor". Essa frase, cunhada por um pastor, tem sido basilar para mim.

Moisés foi um líder exemplar. Ele recebeu conselhos de Jetro, seu sogro, e os seguiu. Até hoje é considerado um dos maiores líderes da humanidade, tanto no meio religioso como no corporativo. Moisés fazia tudo sozinho, desgastando-se, daí a ideia de dividir o trabalho. Suas qualidades eram as mesmas, quer o grupo fosse pequeno quer grande, não importa se a igreja tem cinco ou vinte mil membros; não importa o tamanho do grupo ou a faixa etária: o líder cristão precisa apresentar-se igualmente a todos. "E tu dentre todo o povo procura homens capazes, tementes a Deus, homens de verdade, que odeiem a avareza; e põe-nos sobre eles por maiorais de mil, maiorais de cem, maiorais de cinquenta, e maiorais de dez" (Êx 18.21). Repare nos quatro quesitos fundamentais: capazes (mentalmente hábeis), tementes a Deus (que tenham vida espiritual), homens de verdade e que odeiem a avareza (pessoas de caráter e íntegras).

Sabemos que quem convoca obreiros para a liderança é Deus. Ele é livre para isso, assim declaramos. Mas muitos de nós colocamos a cultura na frente da decisão do Senhor. "Deus chama homens, não mulheres", muitos dizem. Mas é isso mesmo? Deus não é livre para chamar quem está habilitado por ele? Hoje em dia, a mulher está assumindo altos postos em empresas, fato que até bem pouco tempo atrás era impossível. Contudo, na igreja, se um jovem diz que está sendo chamado por Deus, dizemos "amém"; agora, se for uma jovem, dizemos "não pode ser, você está confundindo as coisas". Isso é discriminação. É cercear a livre vontade do Deus que conhece o coração de cada pessoa e sabe a quem chama. Ele é livre para escolher quem quer.

Já não se vendem mais indulgências, mas muitos líderes continuam ouvindo o "tilintar das moedas" que caem em sua conta bancária ao "vender" bênçãos, curas, libertação. Isso é chantagem. É pecado. E, porque foram enganados, muitos abandonam a fé. Não lhes ofereceram salvação gratuita em Jesus Cristo, mas um negócio de favores. Daí os desigrejados, os descrentes, os feridos na fé e tantos outros.

Precisamos de uma reforma em nossa liderança cristã. Não significa que vamos mandar todos embora e constituir novos. Não. Mas que haja uma reforma na mente e no coração de cada líder. Que cada um esteja totalmente sintonizado com a vontade de Deus, almejando ser bênção e fonte de inspiração, em vez de se adaptar às regras do jogo para não perder o posto. Sei que o nosso modelo é Jesus, mas o líder é o espelho onde os liderados se miram.

Que Deus nos dê coragem e sabedoria para fazer essa reforma tão necessária.

16

Para não dizer que não falei de reforma

Paulo Ayres Mattos

O que pode ter a ver a Reforma Protestante do século 16 com a situação das igrejas evangélicas brasileiras nos dias atuais? A resposta a essa pergunta pode parecer paradoxal, mas creio que a única que podemos dar é: *tudo e nada!*

Comecemos pelo aspecto negativo: não tem nada a ver. Estamos separados por cinco séculos, com contextos culturais e socioeconômicos bem diferentes. No final do século 15 e início do 16, a Europa ocidental estava deixando para trás a Idade Média. Era momento de construir novos paradigmas culturais, inspirados pelo humanismo renascentista, e de estabelecer novas relações socioeconômicas, baseadas na emergência de uma nova classe social dominante, a burguesia capitalista-mercantilista. Esse momento europeu aconteceu no contexto do deslocamento do eixo do comércio do Ocidente com a Índia, forçado pela queda de Constantinopla, em 1453. Naquele período, as grandes navegações fortaleceram a burguesia comercial e financeira das nações europeias voltadas para o Atlântico — primeiro Portugal e Espanha e, mais tarde, Inglaterra e Holanda.

Já nós vivemos hoje o contexto econômico do capitalismo pós-industrial e o contexto cultural da pós-modernidade.

Tudo isso permeado pelo processo de globalização de tudo e todos, em que pese a resiliência das culturas locais. Cada vez mais as pessoas estão envolvidas em atividades de serviço, ao contrário do que ocorreu durante grande parte dos séculos 19 e 20, com a proliferação dos conglomerados industriais. Nas atuais sociedades abertas, a "commoditização" de tudo e de todos fez que tudo se torne mercadoria, inclusive os bens religiosos, com uma diversidade exacerbada de ofertas que pretende angariar clientes e consumidores de todas as classes sociais.

Concomitantemente, desde o final dos anos 1960, o mundo ocidental vem sofrendo uma profunda revolução cultural, na qual paradigmas herdados de outras épocas já não mais se impõem sem contestações. As grandes narrativas religiosas, políticas e culturais já não fazem mais sentido para as novas gerações. As fronteiras que por muitas gerações determinaram pertencimento hoje são derrubadas sem nenhuma cerimônia, e o trânsito entre umas e outras se torna cada vez mais comum, mesmo entre as culturas mais rígidas e tradicionais.

Em contrapartida, há o aspecto positivo: a Reforma Protestante do século 16 tem tudo a ver com a situação das igrejas evangélicas brasileiras dos dias atuais porque os dois séculos que antecederam a Reforma guardam muitas similaridades com os tempos que vivemos neste início de século 21. Na Europa, durante a alta Idade Média, os pressupostos elencados por Tomás de Aquino tornaram-se a teologia da Igreja Católica, o que abriu a possibilidade para formulações dogmáticas distintas das que predominaram no primeiro milênio. Amparado no pensamento de Aristóteles, Tomás de Aquino desenvolveu uma distinção entre teologia natural e teologia revelada, possibilitando a exploração de áreas do conhecimento humano fora do domínio da teologia revelada, o que proporcionou novo ambiente cultural que, pouco a pouco, escapou do controle eclesiástico. Eis o porquê da ferocidade crescente da Inquisição naquele período. Entretanto, a repressão imposta pela Igreja Católica a todas as manifestações que desafiavam sua ortodoxia não foi capaz de interferir no revolucionário processo cultural que culminou com a emergência do Renascimento e seu humanismo, expresso nas artes, na arquitetura, na política, nas ciências e na literatura.

Em contrapartida, o catolicismo no ocidente da Europa não era somente aquele que seguia a ortodoxia teológica de suas hierarquias. Enquanto a teologia tomista abria novos caminhos teológicos para o cristianismo ocidental, havia outro catolicismo no meio do povo, um amálgama de crenças e práticas herdadas das antigas religiões dos chamados povos "bárbaros", que, em sua maioria, foram convertidos à força. Em grande parte, essas crenças e práticas populares traziam fortes elementos mágicos, a fim de atrair favores divinos relacionados à saúde, às colheitas e aos relacionamentos amorosos. Essas práticas, próprias dos substratos subalternos da população como forma de resistência aos seus conquistadores, foram assumidas pelo baixo clero ao longo dos séculos 13, 14 e 15. Dessa maneira, deu-se o fortalecimento da dominação dos senhores feudais e religiosos sobre tais setores da sociedade medieval.

O catolicismo romano do final da Idade Média foi ambivalente e ambíguo, pois, por um lado, num mundo religioso povoado por demônios, anjos e santos, tais práticas reforçavam o controle social dos setores mais fracos da sociedade, mas, por outro, satisfaziam a contento as demandas espirituais reprimidas desses mesmos setores. Sua face mais perversa foi a mercantilização dos chamados "bens da salvação", tais como os sacramentos, a veneração de imagens e relíquias consideradas sagradas, o purgatório e as missas por intenção das almas dos mortos, as indulgências e a concessão de bispados e cargos da hierarquia.

Tal mercantilização replicou na igreja o que já estava acontecendo com a emergência do mercantilismo nas relações econômicas e sociais no ventre do sistema feudal. A mercantilização religiosa visou ao enriquecimento das instituições católicas, como o papado e as ordens religiosas, quando não das próprias famílias da nobreza medieval que abasteciam com seus membros os ofícios e cargos religiosos. São contra algumas de tais práticas e crenças que se opuseram os protorreformadores Jan Hus, João Wycliffe e Jerônimo Savonarola, e muito mais radicalmente os reformadores Martinho Lutero, João Calvino, Ulrico Zuínglio e Thomas Müntzer, ao pregarem a salvação pela graça mediante a fé, pois isso "não vem de vós, é dom de Deus" (Ef 2.8).

Amálgama de crenças e práticas

É nessa corrente de encontros e desencontros teológicos característicos do catolicismo dos séculos 14 e 15 que parece que nós, evangélicos brasileiros, acabamos engolfados atualmente. Também nós vivemos, hoje, um amálgama de crenças e práticas das religiosidades oficial e popular, fruto de cinco séculos de formação sociocultural. Os modernistas brasileiros definiram tal processo como "antropofagia cultural", e outros estudiosos como "sincretismo". O certo é que houve uma interpenetração entre as religiosidades mágicas do catolicismo ibérico, das culturas nativas dos povos indígenas e dos africanos trazidos à força como mão de obra escrava. O "sobrenatural", demoníaco ou angélico, parece determinar o cotidiano de tudo e de todos em determinados âmbitos da Igreja, inclusive entre os evangélicos. Como disse um certo bispo anglicano já falecido, "se coçarmos mais fortemente a pele de um evangélico brasileiro, culturalmente falando certamente encontraremos um católico romano".

As igrejas evangélicas filhas do chamado protestantismo de missão, aqui chegadas na segunda metade do século 19, e as pentecostais, no início do século 20, se defrontaram com um campo religioso complexo e já diversificado, apesar da aparente hegemonia católica romana. Muitos missionários provindos da América do Norte chegaram imbuídos da ideologia americana do "destino manifesto". Em sua maioria, não souberam relacionar-se com uma realidade cultural diferente da própria e que consideravam inferior à sua. Em meio a reações adversas do clero católico romano, por vezes caracterizadas por perseguição violenta (da qual meus avós foram vítimas), quase tudo que tinha a ver com a religiosidade dominante na cultura brasileira foi rechaçado. Toda aquela difícil e complexa relação acabou por resultar num antagonismo contra a cultura nacional em suas diversas manifestações.

Todavia, é preciso lembrar que, ao contrário dos protestantes de missão, os pentecostais souberam incorporar em sua espiritualidade alguns elementos da cultura popular, devido a sua afirmação do corpo nas manifestações dos assim chamados dons espirituais. Em grande parte isso foi possível porque, diferente de seus irmãos cessacionistas, que optaram por uma mensagem mais voltada para a pequena classe média brasileira, desde o início de sua presença no Brasil os pentecostais se puseram a trabalhar com majoritários setores empobrecidos da sociedade, os quais sempre expressaram a religiosidade no próprio corpo.

Se, por um lado, não se pode deixar de reconhecer que os evangélicos históricos puderam responder a certas demandas sociais por mais liberdade religiosa no final do século 19 e na primeira metade do século 20, por outro, é forçoso reconhecer-se que os pentecostais foram capazes de responder, de certa maneira com mais efetividade do que os evangélicos históricos, às demandas afetivas de um Brasil espiritualmente sedento por mais dignidade e respeito a amplos setores marginalizados ao longo da nossa história.

Nas últimas duas décadas do século 20, a situação de todo o campo religioso brasileiro se complicou ainda mais com o surgimento e o crescimento vertiginoso do chamado neopentecostalismo, cujas crenças e práticas beiram o mágico. Com isso, sobra pouco ou nenhum espaço para os elementos fundantes da Reforma Protestante do século 16. Se é verdade que, dentro do contexto religioso pluralista da sociedade brasileira deste início do século 21, por um lado não há como negar a importância da espiritualidade pentecostal, por outro não há como negar a grande confusão que existe nos arraiais evangélicos, pentecostais e carismáticos resultante do neopentecostalismo, da qual nem mesmo os católicos romanos da renovação carismática parecem estar a salvo.

Parece-me que, no limiar do século 21, no contexto pós-moderno do nosso capitalismo tardio, como fenômeno religioso de massa, a tendência tem sido a teologia do chamado neopentecostalismo impor-se sobre o mundo religioso brasileiro. A era do denominacionalismo teria chegado ao fim, pois as denominações brasileiras evangélicas e pentecostais clássicas não passam de estruturas burocráticas, de discutível poder institucional, muito longe do crente comum, para quem não faz nenhum sentido ser metodista, batista, presbiteriano, assembleiano, wesleyano ou o que for. No caldo religioso pós-moderno é que crescem as novas igrejas e os seus simulacros metodistas, batistas, presbiterianos e pentecostais, onde não prevalece o poder das burocracias eclesiásticas, mas, sim, o carisma religioso de seus líderes locais.

Tudo isso acontece mediante a brutal comercialização dos bens religiosos para atender a demandas religiosas pessoais e comunitárias, estimuladas pela transformação em mercadoria de tudo e de todos, inclusive dos bens da salvação, num exacerbado humanismo caboclo do "eu declaro", "eu determino" e "eu tomo posse", e tudo "em nome de Jesus". Num mundo de exclusões de toda sorte, a ilusória inclusão é oferecida pela idolatria ao consumo. Tudo é vendido! Nada é graça! Inclusive a bênção da cura, da libertação e da prosperidade.

Neste mundo globalizado, as igrejas passaram a ser prestadoras de serviços religiosos mediante a monetização da religião. Todavia, é uma ingenuidade muito grande pensar que essas novas igrejas estariam manipulando a fé do "povão". Na realidade, elas estão tendo sucesso porque respondem a uma demanda religiosa reprimida, que tem a ver com o reencantamento da vida em que o cotidiano é regido pelo sagrado. Entretanto, tudo é pago e tudo tem um preço à altura da mão e do bolso. Isso é parte da cultura religiosa de nosso povo, pois, no imaginário brasileiro, não existe religião sem dinheiro. É uma troca simbólica entre fornecedores e clientes. Perderemos o trem da história se não pudermos entender que as demandas espirituais e religiosas estão ligadas às demandas concretas do cotidiano das pessoas, com suas tristezas e alegrias, vitórias e derrotas, aspirações e frustrações, sonhos e pesadelos, desejos e desencantos. Foi assim no passado, é assim no presente, e não será diferente no futuro.

Tudo isso me faz perguntar se, ao falarmos de uma nova reforma, vale a pena continuar apelando para a restauração da teologia de Lutero, Calvino e Wesley. Será que não estamos diante de uma situação tão nova que exige de todos nós o mesmo rigor e compromisso espiritual, intelectual e pastoral que os reformadores tiveram em seus dias? Não se trataria, portanto, de querer imitá-los ou reproduzi-los, mas, sim, de formular uma prática teológica que fomente uma efetiva e afetiva espiritualidade, respondendo aos desafios missionários e pastorais do mundo de hoje, para um efetivo impacto na vida social e cultural do povo brasileiro.

Experiências como as desenvolvidas pelas ONGs evangélicas Diaconia, Visão Mundial e Tearfund mostram que isso é possível. Creio que por essa via será possível, sim, reafirmar a espiritualidade fiel aos cinco elementos fundantes do princípio protestante: *Solus Christus, Sola Gratia, Sola Fide, Sola Scriptura, Soli Deo Gloria*. Assim, poderemos descobrir novos caminhos teológicos e pastorais que respaldem tal espiritualidade e nos capacitem a viver uma prática evangélica que nos leve missionalmente a enfrentar com decisão e destemor a crise espiritual e teológica que existe no cenário evangélico brasileiro dos nossos dias.

17

Reformando a teologia pública: o pecado, o pastor e o pluralismo

Pedro Lucas Dulci

A Reforma Protestante é um capítulo muito rico e diversificado da história do Ocidente. Não podemos reduzir os acontecimentos desse período a alguns poucos nomes, histórias marcantes ou ênfases teológicas. Muitas mulheres fizeram parte desse acontecimento moderno, vários relatos e documentos foram perdidos ou abafados pelas narrativas vencedoras, como também uma pluralidade enorme de debates teológicos foi deixada de lado nos manuais de história da Igreja. No entanto, existe um elemento específico que pode servir de corrente elétrica para ligar e iluminar a multiplicidade de iniciativas protestantes, a saber: a dimensão pública da teologia dos reformadores.

O testemunho da história

A despeito das diferenças no conteúdo e nas abordagens de cada ramificação protestante, ninguém pode negar que, de luteranos a neocalvinistas, está a convicção de que a religião não é assunto do âmbito privado. Ou seja, a fé não diz respeito só às transformações na vida do indivíduo, mas tem implicações diretas e necessárias em todas as esferas da existência. A convicção de que, em Cristo, Deus estava redimindo todo o mundo (2Co 5.19) levou João Calvino, por exemplo, a organizar os ministérios da igreja de Genebra dividindo-os em: pastores, mestres, presbíteros e diáconos. Quanto a esses últimos, ele diz que: "o cuidado dos pobres foi confiado aos diáconos".[1] Com essa distinção e atribuição específica, o reformador está falando "dos ofícios públicos da Igreja".[2] O pastor suíço e fundador da premiadíssima ONG *Déclaration de Berne*, André Biéler, explica como, no pensamento econômico e social de Calvino, os diáconos eram procuradores oficiais da igreja no serviço no cuidado com os pobres de toda a sociedade.[3]

O mesmo pode ser dito do luterano Dietrich Bonhoeffer. Antecipando todas as dimensões idólatras e injustas que o Terceiro Reich alemão assumiria, ele escreve em 1933 um dos textos teológico-políticos mais importantes da história moderna: *A Igreja e a questão judaica*. Nele, o jovem teólogo lança o tripé da atuação pública da Igreja em tempos de crise: (1) pressionar o Estado para que torne a ocupar sua esfera de ação nos limites que lhe cabem, o que voltaria a dar legitimidade a suas ações; (2) prestar serviço de socorro às vítimas das ações ilegítimas do Estado, sem se preocupar com classe social que tais pessoas integravam ou pertencimento à comunidade religiosa dessas pessoas; (3) impedir os caminhos da injustiça social por meio da ação política direta. Ou, ainda, em suas palavras: "A terceira possibilidade diz respeito a não somente remediar as vítimas debaixo das rodas, mas travar as rodas em si mesmas".[4] Estava lançado o desafio humanitário da Igreja à sociedade, em uma clara demonstração da publicidade de sua teologia.

Poderíamos citar, ainda, a rainha de Navarra Jeanne d'Albret, o norueguês Hans Nielsen Hauge, o americano Martin Luther King e muitos outros. Entretanto, existem poucos exemplos de teologia pública como o do reformador holandês Abraham Kuyper. Ele continuou, aprofundou e deu novos rumos à luta política do movimento antirrevolucionário na Holanda do século 19, iniciada por G. G. van Prinsterer. Sua incrível trajetória teológico-pública inclui o pastorado em Beesd, a edição de dois jornais de ampla circulação, a eleição como membro da Casa Baixa do Parlamento, a fundação do Partido Antirrevolucionário (o primeiro da Holanda moderna e o primeiro democrata cristão do mundo), a fundação da Universidade Livre de Amsterdam (visando à liberdade educacional das ideologias da época) e a função de primeiro ministro da Holanda.[5] Nas mãos de Kuyper, as doutrinas centrais da fé cristã não se restringiram exclusivamente ao âmbito da Igreja, mas imprimiram "sua marca na Igreja e fora dela, sobre cada departamento da vida humana".[6]

O contexto brasileiro

Nosso esforço é pensar as condições mínimas que possibilitam à Igreja evangélica brasileira desenvolver uma teologia pública digna de reivindicar para si o legado supramencionado. O verbo "reformando" foi acrescentado ao título deste capítulo não apenas como vínculo à situação da Igreja no século 16, mas, principalmente, enquanto demonstrativo de que a teologia pública que é praticada no Brasil hoje necessita de uma nova reforma. Isso porque aquilo que é chamado de presença pública dos evangélicos no Brasil nada mais é do que o acoplamento de uma ideologia política à teologia cristã. Dallas Willard foi ao ponto crucial quando escreveu:

> Quem examina o largo espectro da profissão e da prática cristã percebe que a única coisa considerada essencial na ala direita da teologia é o perdão dos pecados. Na ala esquerda é a eliminação dos males sociais ou estruturais. O evangelho corrente então se

torna um "evangelho da administração dos pecados". A transformação da vida e do caráter simplesmente não faz parte da mensagem redentora. No seu âmago, a realidade humana corriqueira não é o palco da fé e do viver eterno.[7]

Diante de tal processo de polarização, que não precisa de muita contextualização para ser transposto ao Brasil de hoje, convém perguntar: colocar a Igreja e sua teologia a serviço de determinada plataforma política é o máximo que a criatividade brasileira consegue dar aos esforços para construir uma teologia pública?

Gostaríamos de sugerir que, de maneira contrária ao que temos visto, quando falamos de uma teologia pública estamos pensando naquilo que John de Gruchy diz: "A teologia pública não significa simplesmente que a igreja faz declarações públicas ou se engaja em ações sociais; ela é, antes, uma modalidade de fazer teologia que visa a abordar questões de importância pública".[8] Nessa compreensão, o caráter público da teologia encontra-se em sua capacidade de responder a questões que qualquer ser humano enfrenta no contexto em que está. Trata-se do modelo universal, "entendido como a possibilidade de alcançar a totalidade dos seres humanos, opondo-se ao que é restrito e particular".[9]

O grande desafio brasileiro nessa reforma está na necessária superação do que é costumeiro: o acoplamento de ideologias políticas ou filosofias seculares para cobrir lacunas de nossa teologia, que trazem junto com seus pressupostos compromissos que não podemos sustentar. Não basta ser intelectual e contextualmente engajado, "eles podem ser a favor de várias boas causas — e certamente são contra o mal em suas mais variadas formas", mas eles não terão uma visão mais completa da realidade, tão somente "se eles desenvolverem novas versões daquilo que a herança católica e a Reforma fizeram e se desenvolverem uma teologia eclesiológica básica e, por extensão, novas e construtivas teorias de um modo justo de organização social".[10]

Alguns elementos essenciais

Muitos elementos, pessoas e processos são necessários para atingirmos tal maturidade na construção de uma teologia pública. No entanto, para os fins introdutórios de nosso texto, gostaria de sugerir três elementos.

Em primeiro lugar, *o pecado*. Nas *Stone Lectures*, de 1967, o psiquiatra Karl Menninger detectou um dos fatores mais determinantes para a retirada da teologia do espaço público: o desaparecimento do conceito de pecado. "Certos comportamentos, outrora encarados como pecaminosos, foram, sem dúvida, submetidos a uma reavaliação [...]. O desaparecimento da palavra 'pecado' envolve uma mudança na distribuição da responsabilidade pelos erros cometidos".[11]

Junto à transformação do pecado em crime, sintoma, irresponsabilidade coletiva, psicose ou simplesmente costumes socialmente assimilados, ocorreu também uma transferência de interesses das pessoas por outros profissionais. Circula muito mais livremente no espaço público o discurso do psiquiatra, do sociólogo, do psicólogo ou do terapeuta familiar do que o do teólogo. Quais conflitos associados ao aconselhamento pastoral restaram no imaginário popular? Quem procura um pastor-teólogo para ouvi-lo sobre questões de segurança pública, economia familiar, identidade de gênero ou ecologia? Quais pastores estão sendo preparados para responder a tais desafios?

Caso seja a nossa intenção reformar a teologia em suas dimensões públicas, um passo importante é recolocar no centro da discussão de ética pública a noção de pecado. Dentre outras coisas, isso envolve algo que Willard menciona.

> Onde há igrejas, à direita ou à esquerda, que colocam os mandamentos nas suas paredes? Os Dez Mandamentos na verdade não são muito populares em lugar nenhum. Esse fato se torna ainda mais escabroso quando refletimos que mesmo uma prática genérica apenas razoável deles já solucionaria quase todo problema de significado e ordem que as sociedades ocidentais enfrentam hoje.[12]

Em segundo lugar, *o pastor*. Enquanto projetava esse segundo elemento, pensei em substituí-lo por "púlpito" ou "pregador". Entretanto, cheguei à conclusão de que o pastor é a melhor figura para encarnar uma necessidade da teologia pública. Mesmo que eu quisesse valorizar os púlpitos leigos e os pregadores não necessariamente ordenados, é o pastor o ministro legítimo da esfera teológica. Não entenda nisso clericalismo, algo a que os reformadores resistiram duramente, mas uma preocupação com dois equívocos típicos de nosso tempo. O primeiro deles: o academicismo despreocupado das questões pastorais mais vitais. É uma consequência lógica do primeiro elemento a figura do pastor-teólogo: a teologia pública não apenas critica o pecado, mas também o trata pastoralmente. Portanto, isso significa dizer que não basta ser um brilhante acadêmico. Pelo contrário, "cada conceito teológico que impressionar vocês deve ser considerado um desafio à sua fé [...] caso contrário, de repente você não estará mais crendo em Jesus Cristo, mas em Lutero ou em um de seus professores de Teologia", ensinou Helmut Thielicke aos seus jovens alunos.[13]

Em seguida, esses desafios à fé pessoal precisam ser colocados a serviço do público maior. Aqui se encontra o segundo equívoco que gostaria de evitar: a supressão da igreja local na construção da nossa teologia pública. O ministro legítimo da esfera teológico-pública é o pastor porque é da igreja que precisa nascer o discurso para todos os povos. Não apenas em todos os exemplos que mencionamos no início como também na própria definição do que é teologia está pressuposto que sem igreja local não existe teologia universal. Bonhoeffer estava certo de algo:

> A teologia é o curvar-se sob o conhecimento coerente e ordenado da palavra de Deus em seu contexto e em sua figura singular sob a orientação dos credos e da Igreja. Ela está a serviço da pregação íntegra da palavra na comunidade e da edificação da comunidade de acordo com a palavra de Deus [...] a fé vem somente da pregação da palavra de Deus, ela não necessita de teologia, mas a pregação correta precisa do credo e da teologia.[14]

Precisamos duvidar de todo pastor que não é teólogo, como também de todo teólogo que não é pastor e de toda teologia que quer ser pública mas não quer ser local.

Em terceiro lugar, *o pluralismo*. Quando fazemos do pastor-teólogo o ministro específico da teologia e fazemos da igreja o local, por excelência, da propagação da teologia para todos os públicos, surge uma questão incontornável: quais são os critérios e as condições para que esse intelectual público transite além das fronteiras da sua esfera de origem? Se a igreja é a comunidade orgânica do pastor, por que ele é chamado a um discurso teológico público e, mais especificamente, como ele pode ser bem-sucedido nessa tarefa? Essas são questões sobre uma visão pluralista da sociedade. Em vez de encarar a sociedade civil como uma comunidade unificada, organizada sob um regime legal que garante um governo ordeiro dentro de um território, os estudiosos têm preferido fazer distinção entre sociedade civil e regime político, como também compreender a primeira como uma associação de associações, formada pela interação de várias pequenas comunidades de interesse específico.[15]

Tal compreensão tem claros ecos na leitura bíblica e comprovada avaliação na história da influência social dos cristãos em regiões como Inglaterra, Holanda e América do Norte. Quando somada à convicção teológica de que toda a autoridade foi dada a Cristo nos céus e na terra (Mt 28.19), não sobrando nenhum espaço da existência em que Jesus não possa colocar o pé e dizer "isso é meu!", temos, pelo menos, a estrutura mínima de atuação teológica pública. Sabendo que a palavra de Cristo também diz respeito a outras esferas além da igreja, (1) o pastor-teólogo tem o dever de comunicar às outras associações sociais. Entretanto, ele não faz isso transpondo inadequadamente a linguagem igrejeira ao ambiente das ruas, do comércio ou virtual. É necessário (2) traduzir em linguagem adequada a cada modalidade da existência os princípios e as leis de Deus para aquelas pessoas. Agindo assim, a teologia pública (3) não se deixará seduzir por nenhum discurso específico, esfera social ou parte da realidade como um ídolo para o seu discurso. Ao contrário, ela saberá que Cristo confere igual importância a todos os âmbitos, que ele é soberano e que tudo precisa ser reorientado em direção à cruz.

Se nossa hipótese de uma nova reforma se confirmar com o passar do tempo, teremos a renovação das cargas de responsabilidade sobre os ombros da igreja local e de seus pastores-teólogos. Em vez de limitar as potencialidades de nossa fé em Cristo à esfera da vida privada, ou então simplesmente acoplar ao discurso evangélico as filosofias seculares, somos chamados à proclamação contextualizada e pastoral dos pecados de nossa época rumo a sinalizações cada vez mais concretas do reino de Deus na história.

18

Ao celebrarmos a Reforma...

Ricardo Bitun

Ao celebrar os quinhentos anos da Reforma Protestante, necessitamos aprofundar a compreensão do contexto histórico em que ela aconteceu. Em outras palavras, o cenário político, econômico e social, inserido no tempo e no espaço, lhe confere o real significado. O ato histórico propriamente dito de Martinho Lutero, ao afixar suas 95 teses, em 31 de outubro de 1517, na porta da igreja do castelo de Wittenberg, apenas aprofundou a rachadura existente no interior da Igreja Católica Romana.

A Europa vivia um momento bastante delicado, em um contexto social extremamente conturbado. Embora o movimento reformista cristão tenha irrompido com os reformadores no século 16, os sinais da Reforma já vinham despontando na igreja ao longo de séculos. Apenas para citar alguns desses movimentos desejosos de transformação, apontamos, por exemplo, o dos valdenses, seguidores do cristão do século 12 Pedro Valdo, comerciante de Lyon convertido ao cristianismo por volta de 1174. Desejoso de mudanças, Valdo decide encomendar uma tradução da Bíblia para a linguagem popular e começa a pregá-la ao povo, mesmo não sendo sacerdote constituído. Ele renuncia ainda a seu trabalho e reparte seus bens aos pobres, apregoando o direito de cada fiel de ter a Bíblia em sua própria língua.

Na Inglaterra do século 14, João Wycliffe apontou diversas questões sobre controvérsias que envolviam a Igreja romana. Wycliffe desejava o retorno da Igreja à pobreza dos tempos dos evangelistas, algo que, na sua visão, era incompatível com o poder político do papa e dos cardeais de sua época. Para ele, o poder da Igreja devia ser limitado às questões espirituais, e o poder político, exercido pelo Estado, representado pelo rei.

Poderíamos citar ainda muitos outros cristãos ansiosos por uma reforma que pusesse a Igreja novamente em seus trilhos originais. Homens e mulheres inquietos e inconformados que, de alguma forma, davam sinais claros da Reforma em andamento.

Por uma questão de brevidade, enfatizaremos a pessoa de João Calvino (1509–1564), teólogo cristão francês que muito influenciou a Reforma Protestante. Ao afastar-se da doutrina e da comunhão católica romana, Calvino começa a ser visto, gradualmente, como a voz do movimento protestante, ensinando em igrejas por onde passa, e a ser reconhecido por muitos como "padre". Vítima das perseguições aos huguenotes na França, fugiu para Genebra em 1536, onde faleceu em 1564.

Genebra tornou-se definitivamente um centro do protestantismo europeu, e João Calvino permanece até hoje uma figura central da história da cidade e da Suíça.

Assim, existe certo consenso entre os historiadores sobre como a Reforma foi decisiva na construção da mentalidade ocidental e no pensamento do homem moderno. A Reforma foi muito mais ampla do que um mero "racha" no seio da Igreja Católica Romana. Ela é muito mais complexa do que simplesmente uma divergência de opiniões e doutrinas.

Sem dúvida há um espírito contestador entre esses homens, um aroma forte de inconformismo com o seu século, um cheiro de inquietação que lhes sobe às narinas e os priva de se amoldar ao século de então. Esse inconformismo culmina com a Reforma e, por tabela, com a mudança de toda a estrutura de poder, da sociedade e da própria cosmovisão cristã.

Creio que a história da Reforma conhecemos bem. Porém, gostaria de me ater ao espírito reformador nos dias de hoje, espírito inquieto e inconformado com o presente século.

Os reformadores cristãos se recusam a trilhar qualquer doutrina ou teologia contrária à ensinada pela própria Escritura. São inconformados com a sua geração, com a suposta "ordem" que diziam ser divina e que interessava apenas a um pequeno grupo, insatisfeitos com o jeito como as coisas aconteciam. Eles olham ao seu redor e são sensíveis em perceber sua gente, seu tempo e sua geração, e contestam, propondo e lutando por mudanças significativas (Rm 12.2). Segundo Silas Luiz de Souza, em sua obra *Pensamento social e político no protestantismo brasileiro*,[1] não seria possível entender uma igreja, bem como qualquer grupo social, isolada de seu contexto histórico, geográfico e social.

Ao comemorar a Reforma Protestante, refletindo sobre como os reformadores agiram e se portaram diante dos desafios de sua geração, surgem inquietações quando debruço o olhar sobre a nossa geração e a sociedade em que vivemos. Fico pensando como eles, reformados cristãos, se comportariam em nossos dias, no país chamado Brasil. Que reforma proporiam exatamente? Que mudanças realizariam? O que lhes inquietaria a alma?

Sempre reformando

Num primeiro momento, creio ser necessário começar com a própria propositura em análise: comemoraríamos quinhentos anos *de* Reforma da Igreja Cristã ou quinhentos anos *do início da* Reforma Cristã? Explico. Celebraremos agora, em 2017, quinhentos anos de uma Igreja que está em constante reforma, dinâmica, inquieta e como organismo vivo transformando-se dia após dia à imagem e semelhança do Filho no E(e)spírito proposto pela Reforma, ou apenas celebraremos cinco centenas de anos de um evento histórico ocorrido no século 16?

Trazendo para a Igreja brasileira da qual fazemos parte (pensando em Igreja não como o lugar para onde vamos e sim o que somos), essa Igreja tem se inconformado com a atual situação? Ela tem estado inquieta com os problemas que afligem nosso próximo de longe ou de perto (Lc 10.29)? Temos sido, enquanto geração, como os reformadores de sua época, cristãos inconformados com as notícias que circulam diariamente pela mídia? Faríamos uma reforma hoje levantando qual bandeira exatamente? Morreríamos por qual ideal? Por qual reforma?

Entendo que a reforma, como dito acima, passa necessariamente por questões políticas, econômicas e sociais. Não me passa despercebido que o pano de fundo seja teológico, sem dúvida. É elementar que as questões teológicas não se resumem apenas a como devemos viver bem nos céus, mas elas tocam e transformam as questões que afligem primeiramente o coração de Deus (numa linguagem antropomórfica) e, consequentemente, o nosso coração.

Devemos lembrar que os reformadores não foram privilegiados, super-heróis ou supercrentes; antes, o que tinham de especial era a bênção de ter sobre sua vida a graça derramada. A graça de perceber em seus dias a vontade de seu Senhor, de olhar para a vida de maneira diferente da dos demais, de se inconformar.

Esses homens não diferem dos homens de Deus que encontramos nas Sagradas Escrituras, a exemplo de Moisés, que, quando vê o povo de Deus oprimido, abandona o luxo do palácio, dá de ombros a um futuro promissor e se põe à disposição de seu Senhor para que se cumpra a vontade divina em sua vida (Êx 2). Segundo Hebreus, Moisés não temeu, pois viu o invisível, aquilo que ninguém viu. Esse é o espírito reformador, espírito de contracultura, que contraria o *status quo* dominante em sua época (Hb 11.23-29).

> Pela fé Moisés, sendo já grande, recusou ser chamado filho da filha de Faraó, escolhendo antes ser maltratado com o povo de Deus, do que por um pouco de tempo ter o gozo do pecado; tendo por maiores riquezas o vitupério de Cristo do que os tesouros do Egito; porque tinha em vista a recompensa. Pela fé deixou o Egito, não temendo a ira do rei; porque ficou firme, como vendo o invisível.
>
> Hebreus 11.23-27

Outro caso é o de Neemias, copeiro do rei. Seu irmão Hanani lhe entrega os relatórios sobre o estado de Jerusalém (Ne 1) e o informa que os que não foram exilados estão em miséria, arruinados e expostos ao desprezo. Interessante que, assim que ouve o relato, Neemias senta, chora e lamenta. Passa a jejuar e orar, inconformado com aquela situação. Ele não teologiza ou dá de ombros, dizendo "Que pena!", "Que coisa terrível!" ou "Fazer o quê, esse é o preço da desobediência". Pelo contrário, ele se sensibiliza com a situação de seu povo, que sofre com a miséria e o desprezo.

Poderíamos aqui citar outros tantos personagens bíblicos, missionários, pastores, irmãos e irmãs, verdadeiros reformadores que buscavam constantemente ver uma Igreja reformada e, por conseguinte, uma sociedade reformada, onde prevalecesse a busca constante pela justiça de Deus e pela implantação de seu reino.

Outra questão pertinente da Reforma de Genebra foi a preocupação com a assistência social, de vital importância para o ideário protestante. O cristão é desafiado a exercer o mandamento de amar o próximo como a si mesmo. No Brasil, as igrejas reformadas organizaram hospitais e orfanatos. Na década de 1930, os presbiterianos tinham hospitais no Rio de Janeiro, em São Paulo, Goiás e Bahia, além de clínicas em igrejas locais.

Alister McGrath ensina que a agenda calvinista envolvia "a promoção ativa de uma vida excelente por meio da exaltação da virtude".[2] Calvino encorajava os líderes genebrinos a não se tornarem introvertidos demais com a lei e a ordem. Eles estavam lá para estabelecer e manter um bom sistema público de educação, para encorajar uma cultura sadia e para criar, até mesmo por meio de leis, uma atmosfera que propiciasse atitudes sociais saudáveis. Ele acreditava que uma boa moral poderia ser produzida por uma boa legislação e organização social.

Óbvio que a questão soteriológica é presente e marcante no século 16. O chamado "teólogo de Genebra" é também o grande sistematizador dessa teologia, principalmente quando se refere ao triplo ofício de Jesus e à pneumatologia. Porém, ao perceberem essas questões teológicas e ao confrontarem as verdades bíblicas com as doutrinas da igreja predominante — igreja do poder, da luxúria e da insensibilidade para com o próximo, e por isso "do desvio" —, Calvino e os reformadores desestabilizam a estrutura social vigente. Inquietaram e desestruturaram outros poderes que estavam alicerçados em pseudobases teológicas, ou melhor, pseudorreligiosas.

O princípio reformado ou, para alguns, pós-reformado de "Igreja reformada sempre reformando" deve permear e transformar nosso dia a dia. Ao falarmos da Reforma e de reforma, é certo que devemos lembrar de seus princípios e fundamentos, ensinados e, sobretudo, vividos. Porém, deve existir em nós, protestantes — pentecostais ou históricos —, a resistência à institucionalização, ao engessamento estrutural da experiência. A resistência ao aprisionamento de certas interpretações, a dogmas, a valores que não se sustentam, simplesmente pelo fato de que um dia foram bons para a Igreja.

Entendo que o mote *Ecclesia reformata et semper reformanda est* (de autoria do reformador holandês Gisbertus Voetius, 1589–1676), deve ser vivo e eficaz em nossos dias. Não estou usando esse mote da Reforma aqui para legitimar um vale-tudo eclesiológico e litúrgico. Como Voetius, creio também que a Igreja deve estar permanentemente sensível às diferentes iluminações advindas do Espírito, à luz das Escrituras, experiências de vida nova no caminhar com o Senhor. Afinal, nessa caminhada conviveremos com transformações, dúvidas e questionamentos. Temos de olhar para a realidade oferecendo respostas a questionamentos da sociedade, assim como os reformadores fizeram, oferecendo respostas que ecoam até hoje.

Segundo Antonio Mendonça, o protestantismo se apresenta para a sociedade como uma "contracultura", exigindo dos seus adeptos um comportamento diferente do que antes era aceito socialmente. Um reformador é alguém que, no mínimo, olha com certa estranheza para seu tempo e sua sociedade, e ousa viver pelo reino e por sua justiça inspirado e fortalecido pelo Espírito, seguindo as orientações do Rei deste "novo" reino.[3]

19

Um novo jeito de ser protestante no Brasil (Protestantismo de Experiência Racional)

Rivanildo Segundo Guedes

Existe algo diferente no ar. Alguma coisa está acontecendo a ponto de mudar o jeito de ser protestante nas terras brasileiras. Parece que não existe mais apenas o antigo jeito carrancudo e sisudo de expressar a fé cristã. Nos últimos quarenta anos, vem se configurando no Brasil um jeito mais informal, alegre, espontâneo e comprometido de viver a fé.

Nosso país começou a ser alvo das missões protestantes vindas dos Estados Unidos há pouco mais de cento e vinte anos. O desejo dos nossos irmãos americanos era fazer que o povo do Novo Mundo provasse do mesmo que eles já vinham experimentando havia séculos: a libertação e a vida que há em Cristo. O que eles trouxeram foi o evangelho de Jesus influenciado pela Reforma Protestante. Desde que o monge agostiniano Martinho Lutero afixou suas 95 teses na porta da igreja de Wittenberg, iniciou-se uma separação e uma distinção entre católicos romanos e protestantes.

A Reforma Protestante representou um grito de libertação religiosa, social, econômica, política e cultural. Em função de um retorno às Escrituras Sagradas, a sociedade europeia da época se viu diante da possibilidade de um salto em seu modo de viver, até então "emperrado" e atrasado por causa do comportamento da Igreja Católica Romana. Os estudiosos chegam a dizer que a democracia e os direitos humanos tiveram o seu nascedouro em 31 de Outubro de 1517. A Igreja brasileira é, portanto, herdeira da Reforma Protestante.

Devemos tomar cuidado para não cair no perigo de "divinizar" e "engessar" o que aconteceu na Europa do século 16. A Reforma Protestante conforme a conhecemos foi um movimento do Espírito Santo para um contexto específico daquela época, na Europa. A relação entre religião e Estado era bem mais estreita e, portanto, favoreceu um cenário para mudanças na sociedade. Eu diria, contudo, que precisamos com urgência de um novo movimento/avivamento. A necessidade de nossos dias é a da volta às Escrituras Sagradas e ao Cristo ressurreto, em atitude de confissão de pecados. A Igreja evangélica brasileira precisa se apaixonar, mais uma vez, pelos que não foram encontrados por Cristo, compadecer-se de todos os que sofrem e revelar a glória de Deus em tudo o que faz. Para isso, não há data ou contexto específicos: sempre será necessário!

Na tentativa de reproduzir *ipsis litteris* o que aconteceu no século 16, terminamos por confundir evangelho com cultura. É por isso que a Igreja deve seguir se reinventando e sempre buscando um novo jeito de ser, preservando, é claro, a sua identidade como Corpo de Cristo no mundo para que não perca a sua relevância na sociedade.

Nos últimos quarenta anos, o protestantismo brasileiro vem ganhando uma nova cor, num fenômeno que chamo de "um novo jeito de ser protestante no Brasil (Protestantismo de Experiência Racional)". Em particular, escolhi o exemplo de duas igrejas, uma batista e uma presbiteriana, para expor como esse fenômeno transcende as bandeiras denominacionais. O meu desejo e a minha oração é que o mesmo Espírito

Santo que soprou na Igreja europeia da Idade Média continue a soprar na Igreja brasileira do século 21, promovendo as tão necessárias reformas.

Em que nos transformamos

Ao chegar ao Brasil, o protestantismo já havia passado pela Europa e pelos Estados Unidos. Na América do Norte, de maneira especial, recebeu a forte influência dos movimentos de avivamento, do pietismo e do fundamentalismo dos valores morais. O que decorreu disso foi um jeito de ser protestante que dá extremo valor à piedade pessoal — beirando, muitas vezes, o moralismo farisaico —, à fuga do *mundo* e ao estudo da Bíblia.

Foi vivenciando esse modelo de protestantismo que o educador e ex-pastor presbiteriano Rubem Alves se inquietou. Alves chegou a estudar teologia no Seminário Presbiteriano do Sul, em Campinas, e foi pastor em Minas Gerais. Após muitas desilusões com a sua denominação, resolveu escrever um livro, que ficou famoso, tentando denominar o tipo de protestantismo que existia no Brasil. Ele chamou tal fenômeno de "protestantismo de reta doutrina". Para ele, as igrejas estavam muito mais interessadas na vida "exterior" dos cristãos do que no coração dos fiéis. Um exemplo clássico era considerar quase um "herege", ou um "desviado", quem fosse à praia no domingo em vez de estar na Escola Bíblica Dominical.

Não satisfeito em concluir que a sua denominação se apresentava dessa forma, Alves foi mais longe ao dizer que *todo* o protestantismo brasileiro era de reta doutrina. Isto é, todas as igrejas protestantes estavam muito mais interessadas em suas "cartilhas" doutrinárias do que em vivenciar a vida do Cristo ressuscitado. Perceba que o que o escritor Rubem Alves destacou sobre o antigo jeito de ser protestante ainda insiste em existir em nosso país. Eu me arrisco a dizer que muitos dos desigrejados dos nossos dias estão em busca de novos modelos de espiritualidade pelo fato de boa parte das nossas igrejas terem se transformado em "prisões".

Quando eu estava escrevendo um trabalho de mestrado sobre esse assunto para a PUC de São Paulo, deparei com vários relatos de pastores e membros de igrejas dizendo quanto muitas igrejas, no passado, conseguiram roubar a alegria de irmãos por causa da ênfase equivocada nos valores morais fundamentalistas. Por exemplo, ouvi a história de uma igreja batista na cidade de São Paulo que havia disciplinado vários de seus jovens pelo fato de eles terem ido ao cinema no domingo. Outro testemunho foi o de uma senhora de minha igreja que afirmou que o seu irmão havia sido excluído de uma igreja batista por conta de haver jogado futebol em um domingo.

O relato de Rubem Alves é importante, mas, felizmente, parcial. Ele não representa o todo do protestantismo brasileiro. Por influência da Igreja Batista do Morumbi, em São Paulo (SP), fundada em março de 1980 pelo pastor Ary Veloso, as igrejas protestantes do Brasil começaram a se ver diante de outra possibilidade de vivenciar a fé cristã. A Comunidade Presbiteriana Chácara Primavera, fundada nos anos 2000 pelo pastor Ricardo Agreste, é outro exemplo de igreja evangélica que conseguiu "reinventar" o jeito de ser protestante no Brasil, a ponto de influenciar bastante a Igreja Presbiteriana do Brasil e toda uma geração de jovens pastores.[1]

O contraste entre o antigo e o novo jeito de ser protestante

Para que possamos visualizar melhor o que seria o novo jeito de ser protestante, elaboramos uma tabela comparativa com alguns elementos importantes sobre as igrejas protestantes e como os "jeitos" interagem.

Um novo jeito de ser protestante no Brasil (Protestantismo de Experiência Racional) 173

	Antigo jeito de ser protestante	**Novo jeito de ser protestante**
Sexo	O sexo é um tema ainda tido como tabu no meio protestante. Por conta dessa visão, o sexo antes do casamento é tratado como motivo de disciplina ou exclusão dos fiéis envolvidos no ato. São incontáveis os casos de meninas que engravidaram antes do casamento e foram expulsas do convívio da igreja.	O sexo é visto como tendo sido criado por Deus para o desfrute no matrimônio. Ainda assim, o sexo ganha contornos mais belos e românticos para além de sua função "apenas" reprodutora.
Domingo	"Domingo é dia de ir à igreja". Essa frase está nos lábios da grande maioria dos protestantes. O dia de descanso oficial ordenado por Deus, segundo os protestantes, é o domingo. Portanto, nesse dia não se fará outra coisa a não ser ir à igreja.	Conforme já dissemos, o novo jeito de ser protestante interage melhor com as demandas da pós-modernidade. Ele entende que as mudanças sócio-econômico-culturais influenciam diretamente na maneira como os fiéis se relacionam com o domingo. O trabalho ou o lazer nesse dia se transformam em necessidade, dadas as atuais exigências do mercado de trabalho. Então, trabalha-se muito durante a semana, e até aos sábados e domingos, e torna-se inevitável escolher algum domingo do mês para descansar indo à praia ou à casa de parentes.
Vícios	Para o protestantismo, a partir da leitura das Escrituras Sagradas, o corpo é o templo do Espírito Santo e, portanto, deve ser encarado com cuidado e reverência. Assim, práticas como beber, fumar ou jogar são tidas como vícios.	Beber, fumar e jogar não são tidos, *a priori*, como vícios. A mais comentada dessas práticas, a da bebida, passa a ser analisada pelo "crivo" do apóstolo Paulo, que em Efésios 5, diz que o limite para a bebida é o seu excesso (embriaguez) ou a afetação da "mente fraca" daqueles da comunidade da fé que não concordam com o uso da bebida. Ou seja, a bebida é tida como saudável na medida em que for usada com sensatez.

Heresias	A heresia, enquanto "crime", vem acompanhando a história do cristianismo desde os primórdios. Definem-se como heresia as maneiras não ortodoxas de afirmar a fé cristã.	É importante distinguir heresia de possibilidades múltiplas de interpretação. Grosso modo, heresia é todo pensamento contrário ao Credo Apostólico. A partir desse credo é que foram escritas as confissões denominacionais, que são interpretações do Credo, isto é, as confissões são resoluções teológicas passíveis de discordância e reinterpretações. O novo jeito de ser protestante faz uso dessa "licença" interpretativa a fim de atualizar o Credo Apostólico. Ademais, tomando-se essa licença como parceira interpretativa mediada pela cultura, o novo jeito busca desenvolver leituras atualizadas das doutrinas cristãs.

Protestantismo de Experiência Racional

Além de possuir em jeito mais informal, jovial e centrado em Cristo e nas Escrituras Sagradas, o novo protestantismo também se apresenta como sendo de experiência racional. Ou seja, o intelecto e os afetos estão no centro do culto e das celebrações das igrejas que o abraçam. O Protestantismo de Experiência Racional é compreendido por meio dos cultos das igrejas que têm a cara do Brasil. Por meio de uma assumida "brasilidade", a Igreja Batista do Morumbi e a Comunidade Presbiteriana Chácara Primavera atraem milhares de pessoas aos seus cultos, desejosas de ter uma experiência pessoal com Deus por meio das músicas e da pregação. Isto é, a mente e o coração estão "presentes" nas celebrações de tais igrejas.

Essas experiências pessoais com o Senhor Jesus Cristo são imprescindíveis para os brasileiros. Por muito tempo, a experiência foi subtraída da religiosidade nacional devido ao posicionamento teológico dos missionários vindos da Europa e dos Estados Unidos. Para alguns setores da teologia, a experiência não pode ser tomada como "acesso ao real", isto é, apenas o intelecto é confiável, pois ele se aproxima mais de Deus do que o corpo, ligado ao pecado.

As igrejas protestantes, portanto, necessitam dar espaço para que os cristãos desenvolvam de maneira pessoal a sua espiritualidade. Assim, quando os fiéis chegam para os cultos das igrejas do Protestantismo de Experiência Racional, eles sabem que os estará aguardando uma música e uma pregação de qualidade, que os ajudarão a continuar a desenvolver a sua fé. Com isso, a igreja cria um vínculo afetivo com as pessoas, levando-as para mais perto de Deus por meio da experiência racional.

Eu me arrisco a dizer que esse será o protestantismo do futuro no Brasil. As igrejas que desejarem ser fiéis à sua vocação bíblica e, ao mesmo tempo, relevantes para a nossa cultura precisarão desenvolver o aspecto da experiência e da racionalidade do cristianismo.

Considerações finais

É perigoso, à luz da Ciência da Religião, fazer prognósticos fechados e categóricos acerca dos fenômenos religiosos. Ainda assim, é possível, a partir de análises e observações criteriosas, apontar alguns caminhos.

Após um tempo de estudo, cheguei a conclusões dentre as quais desejo destacar uma: a importância da busca pelo Espírito Santo. Não estou fazendo aqui uma confusão entre igrejas pentecostais e históricas. Digo isso intencionalmente, por saber que os protestantes ditos históricos precisam se "reconciliar" com o Espírito Santo, conforme expresso nas Escrituras Sagradas.

Por exemplo, para o apóstolo Paulo, o Espírito Santo não é "apenas" aquele que nos sela, garantindo o nosso lugar no céu.

O Espírito Santo, de fato, assume lugar central na teologia e na vida de Paulo. Para o apóstolo, o Espírito Santo é a garantia, por ter ressuscitado Jesus Cristo, de que a nova vida de Deus já está em curso no mundo, notadamente e, em especial, por meio de sua Igreja.

É por isso que Paulo nos encoraja a nos enchermos do Santo Espírito, pois tal preenchimento é sinônimo de poder, piedade, energia, enfim, da própria vida de Jesus Cristo em nós!

É por isso que a tradição diz que, no primeiro século, os cristãos oravam assim: "Ora vem, Espírito Santo!".

Nota do editor

O capítulo que você lerá a seguir é um dos últimos textos escritos para publicação literária — provavelmente, o último — de um dos mais importantes e estimados teólogos da Igreja brasileira das últimas décadas: dr. Russell Shedd.

Logo que a Mundo Cristão iniciou o processo de realização deste livro e a lista de autores foi definida, entramos em contato com dr. Shedd a fim de convidá-lo para participar do projeto. Com sua habitual prestatividade, ele aceitou de imediato. Algum tempo depois, enviou à Editora um primeiro rascunho do material, a fim de ser avaliado, para verificar se estava no caminho certo.

Infelizmente, antes que lhe fosse possível avançar na elaboração do capítulo, aprouve a Deus levar para junto de si o seu filho, que partiu para os braços do Pai em 26 de novembro de 2016, momento em que a edição dos textos desta obra estava em pleno andamento. Essa interrupção inesperada lamentavelmente impediu que o dr. Shedd concluísse a redação. O próximo capítulo é, portanto, uma versão inacabada do texto desse nosso estimado irmão.

Ainda que o material não tenha sido concluído (e isso fica claro na forma abrupta como o capítulo termina), a Mundo Cristão decidiu mantê-lo como parte desta obra, a fim de honrar a memória do dr. Shedd e prestar-lhe uma justa homenagem. Mesmo não sendo uma versão finalizada, seu conteúdo é evidentemente pertinente e tem muito que contribuir com a reflexão proposta por este livro.

A inclusão deste texto é, portanto, um pequeno reconhecimento da Mundo Cristão a um irmão em Cristo que prestou inestimável contribuição à Igreja brasileira — e o fez até o fim, como demonstra este seu provável último texto.

20

Precisamos de uma reforma

Russell Shedd (*in memoriam*)

Para tratar da necessidade de uma reforma da Igreja brasileira, precisamos primeiramente falar sobre a questão da autoridade. No mundo religioso da Europa ocidental nos séculos 16 e anteriores, a autoridade da Igreja Católica Apostólica Romana era total. Tanto que teve a possibilidade de queimar quem considerava herege simplesmente porque os tais discordavam de doutrinas ou práticas que a igreja de Roma determinou terem sido ordenadas por Deus.

Se estudarmos a história do período anterior à Reforma, encontraremos aqui e ali sementes do que viria a ser o movimento reformador. Com o advento do Renascimento, surgiu na Europa uma nova ênfase sobre a responsabilidade individual e, com isso, veio a liberdade paulatina para discordar das autoridades — reis e papas. Essa mudança teve lugar num milênio em que questionar a autoridade máxima da Igreja implicava sofrer as consequências do inferno, uma vez que o papa tinha, segundo o discurso de então, o poder para condenar eternamente.

O período antes da Reforma foi um tempo de intensa ansiedade, no qual proliferaram as exigências da igreja romana, ao passo que grassava uma religião cheia de crendices populares. Medo e esperança dominaram o pensamento da época, focando especialmente em morte e culpa. Para se ter uma ideia, em 1484, o papa Inocêncio VIII expediu uma bula que autorizava inquisidores dominicanos a empreender o extermínio sistemático da bruxaria. Com isso, milhares de mulheres pobres e idosas sofreram torturas terríveis. No total, trinta mil execuções por feitiçaria aconteceram até o fim do século 16.

Homens como João Wycliffe e Jan Hus levantaram a voz em favor da Bíblia e da disseminação do conhecimento das Escrituras na língua do povo. Eles estimularam a tradução da Escritura para o vernáculo, o que daria às pessoas comuns o privilégio de buscar identificar por si mesmas a veracidade das doutrinas que a igreja romana afirmava serem bíblicas. A tradução da Bíblia para o vernáculo era considerada perigosa porque, na Vulgata, algumas palavras do grego original das Escrituras apresentavam significados questionáveis, tais como *metanoia*, que significa "arrependimento", mas na tradução de Jerônimo constava como "penitência". A situação estava tão séria que o rei da Inglaterra Henrique VIII, junto com as autoridades católicas, condenou à morte pais que ensinaram seus filhos a fazer a oração do Pai-nosso em inglês. A Igreja Católica encorajava o ensino dessa oração somente em latim.

Era perigoso questionar os pilares da igreja romana. João Wycliffe foi condenado pelo papa Gregório XI, em 1377, porque afirmava que tanto o poder secular quanto o eclesiástico dependiam da graça. Essa autoridade poderia, quando abusada, ser legitimamente removida. Jan Hus, por sua vez, foi queimado na estaca, em 1415. Os lolardos da Inglaterra foram seguidores de Wycliffe. Geralmente, eles criam que (1) a Bíblia deveria ser traduzida para o vernáculo, (2) a veneração de imagens não é aceitável a Deus, (3) a questão da peregrinação levanta críticas legítimas, (4) cada leigo é um sacerdote, (5) o papa tem autoridade excessiva, e (6) a presença de Cristo no pão da comunhão é puramente espiritual.[1] Os precursores da Reforma basearam suas ideias na Bíblia e no conceito de que a Igreja só poderia ser reformada se voltasse às posições da Igreja primitiva.

Deus usou o pluralismo dos séculos que antecederam a Reforma para preparar a Igreja a fim de aceitar ensinamentos que os reformadores introduziram, ainda que não tivessem líderes à altura de Martinho Lutero e João Calvino para desenvolver as doutrinas que o protestantismo viria a abraçar no século 16.

Nenhum desafio à autoridade da Igreja poderia ganhar aceitação sem compreender que só a Bíblia é a autoridade máxima do cristianismo. Para os católicos de então, a tradição desenvolvida numa instituição encabeçada por um líder "infalível" teria de ser igualmente infalível. Daí surgiu a resistência contra qualquer mudança significativa que os reformadores quisessem introduzir. Eram tantas as diferenças que a separação entre os líderes da Reforma e a igreja romana foi inevitável.

Na visão dos reformadores, o resultado foi a substituição de uma "igreja imutável" por uma Bíblia imutável. A tradição da Igreja Católica ao longo dos mais de mil anos, entre Agostinho e a Reforma, foi desenvolvida por meio da alegorização da Bíblia. Os reformadores insuflaram novo ímpeto na procura pelo verdadeiro ensinamento das Escrituras. A Reforma do século 16 teve o objetivo de confrontar a doutrina da supremacia da Igreja Católica Apostólica Romana e seu todo-poderoso cabeça, o papa, e retornar Deus ao seu devido lugar no trono. Estou convencido de que a centralidade do Deus trino reflete mais perfeitamente o ensino da Bíblia e a doutrina reformada da *Sola Scriptura*.

Surpreendentemente, alguns evangélicos têm abandonado essa doutrina em nossos dias, alegando que Deus tem dado ao homem a honra e a liberdade de decidir os acontecimentos sem interferir neles. Esse "teísmo aberto" alega que Deus "progride ou cresce". Deus estaria, assim, em processo, reagindo diante das decisões humanas desconhecidas previamente por ele. Certamente, essa posição contradiz o ensinamento claro da Bíblia e diminui notavelmente sua glória.

Ainda que não tenha sido declarado em palavras, a igreja romana elevou a autoridade do papa ao ponto de poder barrar cristãos do céu, limitar o acesso à Palavra de Deus ao proibir a tradução das Escrituras para o vernáculo e acrescentar "tradições" à Palavra inspirada, anulando-a efetivamente. A igreja que supostamente Pedro fundou foi acrescentando sua autoridade para fazer o que somente Deus tem poder de fazer. A Igreja Católica, por meio da pessoa do papa, alegou infalibilidade. Será que líderes de algumas igrejas da atualidade, que se intitulam "apóstolos", também não estão querendo assumir os poderes do papa? Líderes que não admitem ser aconselhados ou corrigidos não estão desejosos de reivindicar infalibilidade?

A Bíblia declara que Deus fez o homem com uma complexidade que desmente qualquer teoria tal como a darwiniana. É impossível imaginar como as trinta trilhões de células do corpo têm codificados três bilhões de informações no DNA de cada célula, e cada informação controla suas características e funções. As células se diferenciam de acordo com suas funções. O olho tem sensibilidade para captar luz e enviar pelo nervo óptico os impulsos que o cérebro transforma em imagens. As células do estômago e dos intestinos captam nutrientes a fim de enviar, por meio do sangue, combustível para queimar em forma de energia. Os rins filtram o que há de tóxico no sangue: se esses órgãos param de funcionar, somos envenenados e morremos. Os pulmões fazem o serviço essencial de tirar oxigênio do ar e depositá-lo no sangue, que o leva para as células ao mesmo tempo que extrai do sangue o dióxido de carbono criado pela queima do combustível nas células. O coração bombeia o sangue pelos 150 quilômetros de artérias e veias distribuídas no corpo. Sem fazer mais do que arranhar a superfície, somos persuadidos de que Deus é infinitamente inteligente e capaz de fazer qualquer coisa que ele deseje. Por ser infinita e ilimitada, glória do Criador contrasta com a limitada capacidade a curta inteligência do homem. Deus é infinito, não teve início e nem fim. Tudo isso mostra que convém aos homens se curvarem diante do Criador do universo, e não das autoridades eclesiásticas. A Reforma foi a tentativa dos líderes e teólogos de restaurar a supremacia de Deus no universo e na sua Igreja.

Há uma distinção radical entre Deus e o homem. Deus é amor (Jo 3.16; 1Jo 4.8). O homem é egoísta, pecador, rebelde e independente. Deus é compassivo, longânimo, misericordioso e muito paciente. Deus é perfeito, justo e santo. O homem é pecador, transgressor da lei de Deus. Deus busca o homem, mas o homem resiste aos apelos do Senhor. Deus é generoso, o homem é ganancioso. Enfim, o homem é caído; nas palavras de Jeremias: "Assim diz o SENHOR: 'Maldito é quem confia nas pessoas, que se apoia na força humana e afasta seu coração do SENHOR. [...] O coração humano é mais enganoso que qualquer coisa e é extremamente perverso; quem sabe, de fato, quanto é mau?'" (Jr 17.5,9).

Se a Igreja tivesse dado mais atenção à Bíblia, certamente teria sido mais humilde, e seus líderes seriam mais quebrantados.

Reflexões sobre o passado e o presente

Se for admitido que os evangélicos precisam passar por uma nova reforma, é porque desejam recuperar a autoridade e o reconhecimento que as autoridades eclesiásticas perderam na revolução que Lutero e Calvino desencadearam. Em primeiro lugar, precisamos dar a Deus a supremacia que ele perdeu paulatinamente nas declarações dos papas — que agiram como se estivessem sentados no trono divino — e na tradição que foi se afastando das suas raízes bíblicas.

No Novo Testamento, Deus é Pai de Jesus Cristo e também de todos aqueles que pela fé se submetem a ele, reconhecendo Jesus Cristo como o Senhor. Não encontramos, porém, nenhuma elevação de Maria para ser a "mãe da Igreja", e muito menos "mãe de Deus". A centralidade de Maria como "mãe de Deus" ultrapassa qualquer declaração de ela ser mais do que mãe do Deus Filho que se esvaziou para tomar a natureza humana, vindo a ser servo (escravo), tornando-se semelhante aos homens (Fp 2.7). Os reformadores devolveram Maria à sua posição bíblica, apenas humana, e não uma pessoa digna de ser adorada (Mc 3.33-34).

Não encontro, tampouco, nenhuma sugestão de que a Igreja seria fundada sobre Pedro em vez de Jesus. Dar a um homem falho e instável como Pedro uma glória que pertence a Jesus, o Filho eterno de Deus, explica em parte a exaltação dos papas acima do próprio Filho na direção da Igreja. Segundo a tradição da Igreja Católica, os papas sentam na cadeira de Pedro, isto é, mantêm a mesma autoridade que Jesus teria passado a Pedro. Paulo salienta a glória de Jesus Cristo em sua humilhação e em sua exaltação (Fp 2.6-11), espírito que faltou na Igreja do século 16 e que falta em alguns líderes das igrejas que se orgulham por ter "apóstolos" como dirigentes.

Além disso, a morte sacrificial e substitutiva de Cristo foi suficiente para cobrir toda a nossa culpa; porém, a ressurreição foi a ratificação de Deus. A Bíblia não ensina que os pecados cometidos após a anulação do pecado original de Adão somente podem ser absolvidos por meio de confissões, penitências, pagamentos em dinheiro e sofrimento no purgatório. A ressurreição de Jesus foi a demonstração de que Deus aceitou o sacrifício do Filho Unigênito. A exigência de ofertas para os ofertantes serem abençoados por Deus com curas, empregos e outros benefícios espelha a maneira de pensar e agir em igrejas que hoje atraem multidões de seguidores.

Outra questão: tanto o amor do Pai como a humildade de Jesus Cristo parecem opostos à arrogância dos papas e bispos que condenaram homens muitas vezes melhores que eles. Foram líderes eclesiásticos que praticaram abominações como nepotismo e acúmulo de dinheiro e poder. Alguns líderes de igrejas evangélicas em nossos tempos fazem a exata mesma coisa e, portanto, precisam de uma reforma, que só virá se eles se tornarem humildes como uma criança (Mc 10.15). Somente com essa atitude, segundo Jesus, haveria possibilidade de os tais entrarem no reino de Deus.

A glória de Deus é a razão que explica a existência do universo, do homem e de todas as coisas que existem, sejam inteligentes ou não. Mais importante ainda foi a razão da criação da Igreja de Jesus Cristo (Mt 16.18), para que, em todas as coisas, ele tenha a supremacia (Cl 1.18). A visão da Igreja Católica abrange a sociedade que se submete ao rito do batismo. Hoje, nas igrejas neopentecostais enfatizam a cura e a expulsão dos demônios, esvanece toda preocupação com o destino eterno do pecador. A glória de Deus se manifesta na cruz, e a ressurreição de Jesus Cristo — o Filho de Deus —, no sacrifício definitivo e suficiente para salvar todos os que nele creem. A glória de Deus é o propósito de tudo que acontecerá no futuro. A escatologia propõe o eterno louvor proveniente de todas as criaturas. Falta sustentação bíblica para as repetidas vezes em que Jesus é sacrificado nas incontáveis missas celebradas nas igrejas católicas locais.

Outra questão é que a doutrina bíblica afirma que não há nenhum ser humano justo ou perfeito. A Igreja Católica, porém, pronuncia alguns homens e mulheres como "santos", isto é, pessoas que viveram de maneira santa e perfeita. Pararam de pecar e viveram uma vida tão consagrada a Deus que merecem a beatificação. Isso não tem base na Palavra. De igual modo, será que os líderes das igrejas evangélicas estão conscientes de seus pecados e falhas, mesmo quem não admite questionamento acerca de sua vida ou de seus pronunciamentos, muitos dos quais extrabíblicos? A elevação do poder do papa sobre a Igreja Católica fomentou um sentimento de que ele não precisava de arrependimento ou perdão. Gregório VII afirmou ser o único que deveria ter os pés beijados por todos os príncipes. Já Inocêncio III acreditava que o papa ocupava uma posição intermediária entre o divino e o humano. A prática de alguns dos líderes evangélicos contemporâneos também dá a forte impressão de que eles têm o direito de mandar em Deus.

Se os líderes da Igreja não refletem a santidade, como é possível esperar que os membros sejam santos? O primeiro papa (de acordo com a Igreja Católica), Pedro, escreveu em sua primeira epístola: "Mas assim como é santo aquele que os chamou, sejam santos vocês também em tudo o que fizerem [...]" (1Pe 1.15). Dietrich Bonhoeffer chamou de "graça barata" qualquer esperança que não reconhece a necessidade de uma justiça divina imputada. A busca pela santidade depende do reconhecimento de nossa maldade, e o arrependimento precisa do Espírito da santificação para renovar a mente e transformar o comportamento. A queda foi o caminho revelador da graça, que, no fim, reinará onde o pecado dominou. O teste mais incisivo é a capacidade da Igreja e de seus líderes de incentivar a santidade de vida. A obediência aos mandamentos de Deus e não à hierarquia eclesiástica é o sinal do verdadeiro caminho da salvação.

Os reformadores reagiram contra a doutrina da Igreja Católica, que sustenta haver sete sacramentos, alguns dos quais parecem mais atos de magia que exercício da fé que salva e transforma. A Reforma se posicionou firmemente no princípio de que havia apenas dois: batismo e ceia. É melhor chamar esses meios da fé de *ordenanças*, sendo que o significado "sacramento" difere pela sua associação com a atuação sem a fé. Tem sido observado que os reformadores se esqueceram de um dos meios mais úteis da graça, que seria a reunião regular com os irmãos da Igreja a fim de louvar a Deus, receber a mensagem da Palavra e encorajar os cristãos a não abandonarem a reunião com os irmãos da igreja (Hb 10.25). Talvez uma nova reforma possa reunir os quatro milhões de evangélicos distribuídos entre os "desigrejados". Assim como a Igreja Católica tem milhões de membros que foram batizados mas não frequentam as missas, muitos evangélicos também se acomodam em casa ou viajam para a praia.

As orações impetradas na Igreja Católica, meio milênio passado, raras vezes passaram de rezas, preces repetidas sem o apoio do Espírito Santo, ao contrário do que Paulo recomenda em Romanos 8.26. Nas igrejas contemporâneas, quando orações são elevadas sem que o coração dos líderes da congregação esteja envolvido, precisamos de uma reforma.

A graça tem força para impulsionar crentes a serem generosos. Paulo fala dessa graça que moveu os macedônios a transbordarem em generosidade. "Agora, irmãos, queremos que vocês tomem conhecimento da graça que Deus concedeu às igrejas da Macedônia. No meio da mais severa tribulação, a grande alegria e a extrema pobreza deles transbordaram em rica generosidade!" (2 Co 8.1). Devemos entender que a generosidade cristã não tem sua fonte na obrigação de uma lei, mas na ação do Espírito Santo no coração. A Igreja do século 16 não falava de generosidade, mas de trocar dinheiro pelos benefícios que a igreja poderia dispensar. Foi o pagamento de indulgências o que mais indignou Lutero, provocando a composição das 95 teses que estimularam a eclosão da Reforma. Houve a doação de esmolas, mas no interesse de se livrar de alguma penitência imposta por um padre. Muito mais raro seria encontrar um contribuinte generoso que ofertasse por amor a Deus.

21

A revolução dos sacerdotes adormecidos

Sérgio Queiroz

Neste ano, celebramos os quinhentos anos de um dos eventos mais marcantes da história da humanidade: a Reforma Protestante. Esse movimento de repercussões múltiplas, que mudou a paisagem espiritual, política e econômica do mundo, montou as bases para muitos avanços, não só na compreensão e na prática da fé cristã, mas também no que se refere à redefinição da mentalidade do homem ocidental moderno. Ao exaltar a autonomia do indivíduo frente à autoridade eclesiástica e às estruturas de poder religioso, a Reforma abriu espaço para muitos outros movimentos posteriores, servindo de impulso para a liberdade humana na busca pelo conhecimento, assim como para a luta contra toda forma de obscurantismo religioso e intelectual.

Sabe-se que o ponto central das críticas de Lutero foi a venda de indulgências promovidas pelo papa Leão X, que passou a oferecer perdão de pecados para aqueles que dessem dinheiro para a construção da Basílica de São Pedro. Ao defender a justificação da humanidade caída e pecaminosa exclusivamente pela graça e mediante a fé em Jesus Cristo, Lutero reafirmou o ensino do Novo Testamento e repudiou a doutrina da salvação pelas obras.

Pode-se então dizer que, do ponto de vista teológico, embora o movimento tenha tocado em outros pontos da doutrina cristã, a Reforma teve um viés eminentemente soteriológico, buscando resgatar a pureza da doutrina da salvação, conforme ensinada nas Sagradas Escrituras, tornando assim conhecidos os chamados "cincos *solas*" da Reforma: *Sola Scriptura, Solus Christus, Sola Gratia, Sola Fide* e *Soli Deo Gloria*.

Curiosamente, em 31 de outubro de 1999, passados 482 anos desde a eclosão da Reforma Protestante, líderes católicos romanos e luteranos, reunidos em Augsburgo, na Alemanha, assinaram a *Declaração Conjunta sobre a Doutrina da Justificação da Federação Luterana Mundial e da Igreja Católica*, estabelecendo que as confissões católica e luterana professam a mesma doutrina sobre a justificação pela fé, embora com diferentes desdobramentos. De acordo com tal declaração, afirmou-se, dentre outros pontos, que:

> É nossa fé comum que a justificação é obra do Deus uno e trino. O Pai enviou seu Filho ao mundo para a salvação dos pecadores. A encarnação, a morte e a ressurreição de Cristo são fundamento e pressuposto da justificação. Por isso, justificação significa que o próprio Cristo é nossa justiça, da qual nos tornamos participantes através do Espírito Santo segundo a vontade do Pai. Confessamos juntos: somente por graça, na fé na obra salvífica de Cristo, e não por causa de nosso mérito, somos aceitos por Deus e recebemos o Espírito Santo, que nos renova os corações e nos capacita e chama para as boas obras.[1]

Como se vê, se a Igreja Católica dos tempos de Lutero tivesse o mesmo pensamento sobre a doutrina da salvação expresso nessa declaração, é possível que a Reforma Protestante nem tivesse acontecido. A menos, é claro, que outras áreas da doutrina romana, como o celibato dos clérigos ou a supremacia do poder papal, tivessem se tornado a gota d'água para o surgimento de um movimento religioso tão drástico e cismático quanto a Reforma.

Não obstante, há um tema importantíssimo para a saúde da Igreja de Jesus Cristo, que, embora tenha sido tratado teoricamente na construção da doutrina das igrejas reformadas, ao que parece deixou de ser plenamente desenvolvido no processo histórico. Refiro-me ao celebrado e teologicamente reconhecido, mas pouco praticado, sacerdócio individual de cada cristão.

Um das grandes contribuições de Lutero para a construção de uma eclesiologia reformada foi a sua visão a respeito do sacerdócio de cada filho e filha de Deus, a ponto de promover, ao menos no campo das ideias, a quebra da tradicional e insidiosa divisão da Igreja em duas classes: o clero, formado pelos sacerdotes, e o laicato, composto pelo povo comum (leigos). Para ele, como cristãos, somos sacerdotes uns dos outros, e esse sacerdócio deriva diretamente de Cristo para os membros do seu Corpo. Com base em 1Pedro 2.9 e Apocalipse 1.6, o reformador alemão reafirmou que todos os eleitos são sacerdotes e que, por isso, há sete direitos que pertencem à Igreja como um todo: pregar a Palavra de Deus, batizar, celebrar a santa comunhão, carregar "as chaves", orar pelos outros, fazer sacrifícios e julgar a doutrina.[2]

Embora tenha reconhecido a singularidade e a importância do papel dos pastores para o ensino e a liderança da Igreja, Lutero também afirmou que tal função é designada pela própria congregação e é algo que pode ser dado e tirado por ela, visto que a ordenação de um ministro por meio da oração e da imposição de mãos não lhe confere uma marca indelével,[3] ou o que eu chamaria de natureza espiritual permanentemente diferenciada. Por essa razão, Lutero destruiu teologicamente a heresia das classes eclesiásticas e incentivou a participação de todos os cristãos na obra do ministério.

João Calvino, em contrapartida, embora sem negar a validade do sacerdócio e o ministério dos líderes ordenados, opôs-se de maneira violenta aos abusos do clericalismo, que negava às pessoas seus plenos direitos e responsabilidades como servos de Deus redimidos e restaurados.[4] Tal pensamento derivava da concepção de que, embora haja diferença de função entre os líderes e os demais membros da Igreja, não há diferença de valor ou de mérito entre eles (Gl 3.28).

Chamo a atenção, contudo, para o fato de que, a despeito de uma boa teologia ter sido desenvolvida pelos reformadores sobre esse tema, o sacerdócio universal de cada cristão continua sendo negligenciado em todos os ramos da cristandade. Isso se dá em razão da excessiva concentração de poder e de serviço ministerial nas mãos de líderes eclesiásticos que, infelizmente, contam com o consentimento inerte e confortável de milhões de homens e mulheres que ainda não descobriram (ou que deixaram adormecer) todo o potencial que lhes foi concedido pelo Espírito Santo para o cumprimento da missão dada por Cristo e para a sinalização do reino de Deus no mundo, em uma clara negação do ensino das Escrituras sobre essa questão (Jl 2.28-29; At 1.8; 1Co 12.12-13).

No início do meu ministério pastoral, a gestão da igreja parecia fácil, mas, com o passar do tempo e o rápido crescimento da comunidade, a minha presença parecia ser cada vez mais necessária e requerida. Nesse momento de crise, cogitei duas opções: ou deixava a minha profissão "secular" como procurador, de onde provinha o meu sustento, e me dedicava exclusivamente à igreja; ou reformulava a minha visão sobre o significado e a razão de ser da liderança pastoral. Após muitas lágrimas, escolhi a segunda opção e começamos o projeto

Cidade Viva (www.cidadeviva.org), que hoje envolve cerca de mil e quinhentos ministros e ministras voluntários.

Comecei a entender que trabalhar "fora" e continuar servindo à igreja com todas as minhas forças tinha grandes benefícios. Dentre eles, a necessidade de priorização do meu tempo e a formação de uma equipe forte e comprometida, a exemplo do que fez Moisés quando recebeu o sábio conselho do seu sogro (Êx 18.13-26). Sem falar no exemplo que, sem perceber, comecei a dar a todos os irmãos e irmãs da comunidade, que, vendo a minha luta pessoal para servir ao Senhor como profissional e pastor ao mesmo tempo, começaram a se sentir motivados a deixar a zona de conforto e a somar esforços para a consecução dos alvos de Deus para o ministério da nossa igreja local.

Além disso, descobri que a frustrante sensação de falta de tempo para fazer tudo o que o ministério pastoral "exige" está fortemente relacionada à ausência de investimento intencional em outros líderes e à falsa ideia — por nós cultivada e erroneamente aplaudida pelos membros da comunidade — de que somos imprescindíveis e insubstituíveis no cotidiano da igreja local. Contrariamente, Paulo ensina que o papel da liderança não é fazer a obra do ministério, o que normalmente muitos esperam dos pastores, mas preparar o povo de Deus para que todos façam a obra do ministério, com base na vocação do Senhor, no sacerdócio universal de cada cristão e na singularidade dos seus dons e talentos (Ef 4.11-13).

Dois obstáculos

Há pelo menos dois obstáculos que, se removidos, farão eclodir uma significativa reforma da Igreja de Cristo em direção ao que chamo de "missão transformacional de repercussões poliédricas", em que cada cristão, movido pela fé (*pistis*), consciente do seu sacerdócio e cheio do Espírito Santo, une-se aos demais a fim de transformar todas as faces da vida humana, para a glória de Deus e a alegria da humanidade.

O primeiro obstáculo a ser removido refere-se à equivocada compreensão do conceito bíblico de trabalho. Afinal, o que a Bíblia diz sobre aquilo que normalmente chamamos de trabalho "secular" e trabalho "sagrado"? Primeiramente, importa destacar que em nenhum lugar das Escrituras consta essa terminologia dualista. Em contrapartida, o trabalho justo e digno, qualquer que seja ele, é tratado na Bíblia como dádiva de Deus, veículo de valorização e dignificação da vida humana, marca inquestionável da *imago Dei* presente em todos nós, além de ser uma característica importantíssima do nosso mandato cultural (Gn 1.28; Sl 128.1-2; Mt 10.7; 2Ts 3.10-11).

Se hoje dividimos as esferas da vida em sagrada e secular é porque estamos dando mais ouvidos a Platão que a Jesus, agindo como gnósticos ou mesmo como quem bebe inadvertidamente das fontes do dualismo iluminista, fragmentando aquilo que Deus nunca desejou fragmentar. Para o Senhor, não há trabalho "secular" nem trabalho "sagrado". Há simplesmente o trabalho que glorifica o seu nome e o que não glorifica. Inclusive, a palavra hebraica que define o ato de servir ou adorar a Deus, *avodah*, também significa "trabalhar". Desse modo, de acordo com a genuína doutrina cristã, a vida vivida na lavoura, na empresa, na escola ou na comunhão da igreja deve ser um constante ato de adoração transformadora (1Co 10.31; Cl 3.2).

O segundo obstáculo a ser removido para uma reforma significativa na Igreja contemporânea que promova a real participação de todos os cristãos na obra do ministério, relaciona-se a um mito que paralisa o Corpo de Cristo: o mito do super-homem de Deus. Esse mito é escravizador, pois aprisiona a igreja e seus pastores a um paradigma equivocado, colocando simples mortais em uma posição incompatível com sua humanidade limitada.

Confesso que sofri muitas vezes por não visitar todos, orar por todos, ouvir a dor de todos e resolver os problemas de todos os que me procuraram nesses anos, até que destruí definitivamente esse mito escravizador e comecei a perceber que o próprio Jesus não solucionou pessoalmente todas as demandas a ele apresentadas, mas repartiu com os discípulos a tarefa de ser Igreja (Mt 14.15-16; Mt 25.34-40; Mc 3.13; Jo 4.1-3).

Além disso, uma vida cristã comunitária que agrada a Deus tem na interdependência (1Co 12.20-26) e no cumprimento dos mandamentos recíprocos uma das perfeitas expressões do sacerdócio de cada um, líder ou não. Assim, quando todos os cristãos começarem a honrar uns aos outros (Rm 12.10), amar uns aos outros (Rm 13.8), encorajar e edificar uns aos outros (1Ts 5.11), orar e confessar seus pecados uns aos outros (Tg 5.16), carregar os fardos uns dos outros (Gl 6.2), dentre outras dezenas de demonstrações de mutualidade, uma grande revolução acontecerá, liberando todo o potencial missional da Igreja de Cristo no mundo.

A Igreja primitiva experimentou muito bem o privilégio de ser uma *communio sanctorum*, onde todos entendiam o seu papel. Mas a profissionalização do clero, especialmente após o perigoso casamento da Igreja com o Estado, no século 4, fez adormecer a chama de uma vida cristã integral no coração dos leigos, condenando-os ao papel de meros espectadores das *performances* clericais.

Glória a Deus pela vida dos reformadores, por terem resgatado as bases teológicas para o sacerdócio universal de todos os cristãos. Entretanto, o mundo ainda precisa testemunhar uma nova reforma na Igreja do Deus Vivo. Ela ocorrerá quando a letargia, o comodismo e as politicagens clericais derem lugar a uma transformadora revolução dos sacerdotes adormecidos.

22

Uma nova reforma para resgatar a singularidade das Escrituras

Solano Portela

Em 31 de outubro de 1517, Martinho Lutero pregou as suas hoje famosas 95 teses na porta da catedral de Wittenberg. Um bom entendimento da Reforma considerará que as ações de Lutero foram precedidas por uma profunda experiência de conversão. Mas, além disso, ele foi motivado a dar passos corajosos de rompimento com o *status quo* eclesiástico, porque viu o imenso contraste entre o que era pregado e praticado pela Igreja Católica Romana e os claros ensinamentos da Escritura. A Reforma redescobriu a Bíblia como fonte suficiente do nosso conhecimento sobre Deus, nós mesmos e nossos propósitos no mundo em que o Senhor nos colocou.

A Reforma ficou conhecida por seus *solas*, expressões em latim que indicam a singularidade dos seus pontos essenciais: (1) somente da Escritura aprendemos o que Deus quer de nós; (2) somente a graça de Deus salva; (3) somente a fé é o meio pelo qual as pessoas são salvas; (4) somente em Cristo há salvação. Posteriormente, reformadores trabalharam a ideia de que (5) somente a glória de Deus é o objetivo último de nossa vida.

Sola Scriptura significa, portanto, que somente a Escritura Sagrada é a fonte do nosso conhecimento religioso, das coisas espirituais cujo conhecimento é essencial à compreensão da vida. Essa ênfase era necessária, pois a Igreja Católica Romana havia incorporado muitas doutrinas que não procediam da Bíblia, mas meramente de tradições humanas. Questões como o culto às imagens e a existência do purgatório, entre outras, faziam parte das doutrinas ensinadas ao povo. Lutero e os reformadores investigaram e deram um sonoro *não* a esse ensino e à consideração da tradição como fonte de autoridade igual ou superior à Palavra de Deus. Eles consideraram, corretamente, que isso era mortal à saúde espiritual de qualquer um e da própria Igreja.

No entanto, quando procuramos aferir o estado do mundo evangélico dos nossos dias, encontramos um contraste muito intenso entre a prática eclesiástica extraída de diversas fontes e a ênfase do *Sola Scriptura* da Reforma do século 16. Se Lutero enxergou corretamente que ideias e tradições humanas não podiam servir de base à formulação de doutrinas e à pratica religiosa, temos de ser honestos e constatar que a situação atual não é apenas semelhante, é muito pior. A Igreja Católica Romana continuou abraçando a tradição em igualdade à Escritura, como fonte de conhecimento religioso, mas temos muitos líderes famosos contemporâneos e muitos segmentos da Igreja evangélica que estão progressivamente relegando a Escritura a um papel secundário. Reinam o apelo à prosperidade e as determinações direcionadas a Deus para que ele sirva às pessoas. O entretenimento é uma poderosa realidade, não apenas como introdução à mensagem da Palavra, mas como substituto dela. Persuasões meramente sociológicas ou políticas substituem convicções que deveriam ser bíblicas sobre relacionamentos sociais e sexuais. Propaga-se um estado messiânico e esquece-se da mensagem do Messias, soberano sobre governantes e governados. Chegamos à conclusão de que precisamos de uma nova reforma.

É possível que a Igreja de Cristo esteja atravessando um dos seus mais difíceis períodos da história, no que diz respeito à acolhida do padrão de fé e prática: a Escritura Sagrada. No seio do que se conhece como Igreja evangélica, fruto da Reforma do século 16, nunca se citou tanto a Bíblia como atualmente, nunca se falou tanto da Bíblia como atualmente, nunca se divulgou tanto a Bíblia como atualmente. Paradoxalmente, nas igrejas filhas da Reforma, nunca se desrespeitou tanto a Palavra de Deus como atualmente, nunca ela foi tão colocada como fonte secundária de informação como atualmente, nunca ela teve porções inteiras consideradas desatualizadas ou pertinentes apenas aos leitores originais como atualmente, nunca ela foi alvo de tanto questionamento quanto aos autores dos livros e aos períodos nos quais foi escrita como atualmente. Essas são situações encontradas não no segmento liberal/racionalista, mas dentro da Igreja evangélica, nas denominações que se autointitulam conservadoras na fé e prática e que se propõem a ser as mais fervorosas e cheias do Espírito Santo de Deus. Precisamos de uma nova reforma.

É nesse sentido que o *Sola Scriptura (Somente a Escritura)* da Reforma precisa ser reafirmado, para que tenhamos uma Igreja sadia em doutrina e que honre, realmente, o nome de Cristo. Precisamos de uma nova reforma que resgate a relevância e a suficiência da Palavra de Deus, que relembre essa questão à igreja dos nossos dias. Em nosso esquecimento dessa doutrina, vemos a Igreja se afundar em um evangelho humanista, diluído, horizontalizado e que contribui para confundir a mensagem cristalina das boas-novas, que deveria estar sendo proclamada. Precisamos de uma nova reforma.

O perigo das seitas

O mundo evangélico conhece bem as chamadas *seitas*. Elas se caracterizam por apresentar uma multiplicidade de padrões nos quais se fundamentam. Livros e escritos paralelos são entesourados como se a sua autoridade estivesse equivalente ou até acima da autoridade da Bíblia. A cena comum é a apresentação de novas revelações, geralmente de caráter escatológico e de características fluidas, contraditórias e totalmente duvidosas. Aqui, a suficiência da Escritura é uma doutrina desprezada. Precisamos de uma nova reforma.

O meio eclesiástico liberal, aquele que não considera a Bíblia como Palavra infalível e inspirada de Deus, ataca constantemente a veracidade da Escritura. Há mais de dois séculos convivemos com essa contestação sistemática da Palavra de Deus, como se a fé cristã verdadeira fosse capaz de subsistir sem o seu alicerce principal. Esse campo de pensamento pseudointelectual e verdadeiramente não cristão sobre a Bíblia despreza a suficiência da Palavra, o *Sola Scriptura*. Precisamos de uma nova reforma.

Muitos que se identificam como evangélicos apresentam uma situação problemática no que diz respeito à relevância da Palavra de Deus. Ela é frequentemente superada pelas supostas "novas revelações" que passam a ser determinantes das doutrinas e do caminhar do povo de Deus. Outros setores promovem o culto à personalidade, e seus líderes arrebanham multidões. Como gurus contemporâneos de evangélicos, põem as próprias ideias, conceitos e peculiaridades acima da Palavra de Deus e, assim, a doutrina da suficiência da Escritura é, na prática, desprezada. Precisamos de uma nova reforma.

Para espanto geral, partem exatamente de dentro do campo evangélico as perturbações e os últimos ataques à Bíblia como regra inerrante de fé e prática. Em anos recentes, muitos ditos intelectuais e eruditos têm questionado a doutrina que estabelece a Bíblia como um livro inspirado e livre de erro. Por exemplo, um famoso seminário teológico americano foi fundado em 1947, no campo conservador, sobre princípios corretos. Sua Declaração de Fé original especificava: "os livros do VT e NT [...] nos originais são inspirados plenariamente e livres de erro, no todo e em suas partes [...]". Entretanto, em 1968, um dos seus líderes começou a questionar a inerrância da Bíblia, fazendo distinção entre trechos "revelativos", porções com validade espiritual, e outros "não revelativos", pontos abertos ao questionamento mais amplo.

Ele foi seguido nessa posição pelo presidente seguinte e por outros professores, todos considerados evangélicos, o que resultou no enfraquecimento geral do posicionamento de muitos professores daquele seminário acerca da integridade da Escritura.[1] Logicamente, não há critério coerente ou autoritário para o estabelecimento da distinção entre o que seria "revelativo" e "não revelativo" na Bíblia. Esse pensamento se faz presente não só naquele exemplo, mas em tantos outros segmentos da Igreja.

Situação semelhante temos encontrado no Brasil, na medida em que vários professores de seminários obtêm seus doutorados e suas qualificações acadêmicas em instituições que há muito descartaram a Bíblia como Palavra de Deus. Isso subtrai da Igreja o seu padrão, derruba um dos pilares da Reforma e retroage a Igreja a uma condição medieval de dependência de especialistas que nos dirão em quais partes devemos crer realmente e quais são as que podemos descartar como mera invenção humana. É nesse contexto que se faz presente não apenas a necessidade de relembrarmos os pilares da fé reformada, mas a urgência de uma nova reforma.

Reavivamento

Uma nova reforma não significa novas doutrinas. Não quer dizer inovação. Refere-se, isto sim, a uma extrema necessidade de que o brado de *Sola Scriptura* seja reavivado ao longo da história da Igreja. É essa história que mostra Deus derramando grandes bênçãos sempre que os fiéis se desprenderam de suas tradições e dos ensinamentos humanos e se voltaram para a Palavra escrita inspirada por ele mesmo. Desde os tempos de Josué, Deus admoesta os seus a que se prendam aos registros inspirados.

> Tão somente esforça-te e tem mui bom ânimo, cuidando de fazer conforme toda a lei que meu servo Moisés te ordenou; não te desvies dela, nem para a direita nem para a esquerda, a fim de que sejas bem-sucedido por onde quer que andares. Não se aparte da tua boca o livro desta lei, antes medita nele dia e noite, para que tenhas cuidado de fazer conforme tudo quanto nele está escrito; porque então farás prosperar o teu caminho, e serás bem-sucedido.
>
> Josué 1.7-8

A Reforma do século 16 fez exatamente isso e, na soberana providência de Deus, nela temos um grande reavivamento gerado pela descoberta da Escritura e pela obediência a seus ensinamentos e verdades práticas. É um erro achar que a Reforma marca a aparição de doutrinas nunca antes formuladas. O que houve foi o resgate da Palavra de Deus, cujas doutrinas estavam soterradas sob o entulho da tradição.

Já dissemos que uma característica comum das seitas é a apresentação de "verdades" que, supostamente, nunca haviam sido compreendidas até sua aparição ou revelação a algum líder. Essas "verdades" passam a ser determinantes da interpretação das demais e ponto central dos ensinamentos empreendidos. A Reforma coloca-se em completa oposição a essa característica. Nenhum dos reformadores declarou ter "descoberto" qualquer verdade oculta, tão somente apresentaram em toda singeleza os ensinamentos da Escritura. Seus comentários e controvérsias versaram sempre sobre a clara exposição da Palavra de Deus.

Martin Lloyd-Jones nos indica "que a maior lição que a Reforma Protestante tem a nos ensinar é justamente que o segredo do sucesso, na esfera da Igreja e das coisas do Espírito, é olhar para trás".[2] Lutero e Calvino, diz ele, "foram descobrindo que estiveram redescobrindo o que Agostinho já tinha descoberto e que eles tinham esquecido".[3] Precisamos de uma nova reforma, que nos leve de volta à base encontrada na Escritura.

Na ocasião da Reforma, a tradição da Igreja já se havia incorporado aos padrões determinantes de comportamento e doutrina e, na realidade, já havia superado as prescrições da Escritura. A Bíblia era conservada longe e afastada da compreensão dos devotos, considerada um livro só para os entendidos, obscuro e até perigoso para a massa. Os reformadores redescobriram e levantaram bem alto o único padrão de fé e prática: a Palavra de Deus e, por esse padrão, aferiram tanto as autoridades como as práticas religiosas em vigor.

A mensagem da Reforma continua necessária para um mundo que está sem padrão e à própria Igreja evangélica, manchada por escândalos e que enterrou novamente o seu padrão em meio a um entulho místico pseudoespiritual. O brado do *Sola Scriptura* tem de soar com veemência e clareza, como antídoto ao veneno contemporâneo do subjetivismo do existencialismo do homem sem Deus, veneno esse que teima em se infiltrar nos ensinamentos da Igreja cristã.

Uma nova reforma que leve ao apreço à Escritura terá como consequência a volta de uma mensagem realmente relevante e trará um reavivamento real à Igreja. Resultará em uma Igreja que agrade a Deus e que proclame o poder de Cristo e não o poder do mensageiro ou das personalidades por trás das estruturas e organizações eclesiásticas. Uma nova reforma, que preze a pertinência de importantes documentos históricos, como a Confissão de Fé de Westminster — que logo em seu primeiro capítulo especifica a Bíblia como a "única regra infalível de fé e de prática" —, fará surgir uma Igreja mais pura, da qual tanto precisamos.

23

O desafio é não apenas celebrar, mas mudar

Tito Oscar

Se o reformador Martinho Lutero vivesse em nossos dias, em plena era de pós-modernidade, como reagiria ao cenário atual da Igreja evangélica? Qual reforma proporia para uma igreja multifacetada, multidividida em doutrina, teologia e prática litúrgica? Teria algo a acrescentar ou, quem sabe, a retirar, tendo como referência suas 95 teses? Em retrospectiva, observamos que muitas mudanças ocorreram nos cinco séculos transcorridos desde a Reforma Protestante. Mas, se olharmos prospectivamente, veremos que muitas reformas precisam ser realizadas na chamada Igreja cristã. E, para que essas mudanças sejam feitas com sucesso e sem rejeição, cabe a cada um que busca uma espiritualidade sadia e conformada com os princípios bíblicos apontar novos rumos, tendo a Reforma como fonte de inspiração e de conteúdo para manter o barco navegando, mesmo em águas agitadas.

O jornalista premiado três vezes com o prêmio Pulitzer Thomas Friedman escreveu no livro *O mundo é plano* que, após criar o mundo em seis dias e descansar no sétimo, Deus demorou um pouco mais para "achatar a Terra" — um fenômeno, segundo ele, promovido pela convergência de dez grandes eventos políticos, inovações e empresas. "Desde então, ninguém mais parou para descansar, e talvez nunca mais pare".[1] O autor defende a tese de que, em pleno século 21, ocorreu um achatamento do mundo. Tenho a impressão de que a igreja, em sua caminhada histórica, também sofreu um processo similar de achatamento. Muitos foram os fatores que influenciaram essa mudança, mas o fato é que, em sua caminhada pelos séculos, a Igreja de Cristo enveredou por caminhos nunca antes trilhados e, com isso, perdeu muito de sua essência, seu norte, seu DNA.

A igreja criada pelo Senhor Jesus foi marcada desde o início por lutas e desafios. Mesmo permanecendo de pé, com o passar do tempo ela foi abalada por uma obscuridade produzida pelas invasões insanas daqueles que a queriam subjugar. Os interesses materialistas e a ânsia por poder provocaram um grande esvaziamento da espiritualidade. O sal tornou-se, em grande parte, insípido, incapaz de influenciar o meio em que estava inserido. Até que, motivada por um monge inconformado com o estado espiritual da igreja, ela acordou e buscou uma nova inspiração, um retorno ao primeiro amor.

Porém, o tempo passou e a igreja voltou a adormecer. "Achatou-se", em razão das muitas influências que entraram por suas portas. O projeto inicial da Reforma, "igreja reformada, e por isso mesmo, sempre se reformando", perdeu-se em meio às distrações e ao esvaziamento doutrinário-teológico. Repensar sua história depois de cinco séculos não é buscar simplesmente uma renovação espiritual e, muito menos, uma nova teologia. O alvo é restaurar a inspiração que explodiu no coração de um homem em busca da verdade, e levar o cristão de hoje a abraçar o desafio proposto pela Palavra de Deus: viver pela fé.

Precisamos, sim, reviver o espírito da Reforma. Graças às misericórdias de Deus, a Igreja tem se empenhado, atuando com todas as suas forças em busca de uma espiritualidade sadia e conformada com os princípios bíblicos. No entanto, se olharmos criticamente para o cenário que predomina hoje, percebemos que pouca coisa consistente e útil ocorreu nessa empreitada de renovação. É verdade que muito foi agregado. Houve, sim, um crescimento numérico extraordinário, mas houve, também, um considerável esvaziamento de conteúdo, que se fez presente na pregação do evangelho do reino de Deus, na liturgia (que deixou de ser cristocêntrica e passou a exaltar mais os valores humanos) e até mesmo na hinologia. Canta-se muito em todas as comunidades evangélicas, mas o conteúdo deixou de ser embasado na Palavra de Deus e na exaltação ao Senhor Jesus, voltando-se para a afirmação pessoal de quem compõe e de quem canta. Perdeu-se muito da essência do cântico congregacional, do louvor e da adoração espontânea.

Se há uma mudança que a igreja não pode deixar de buscar com todo o empenho e com toda a dedicação é a que se refere ao cuidado com a próxima geração, dando a ela as ferramentas necessárias para enfrentar os desafios do novo mundo. O desafio da Igreja moderna não é tanto o de lutar contra as indulgências evangélicas que grassam no seio da comunidade cristã, mas, sim, o de ter um olhar prospectivo, capaz de enxergar as grandes possibilidades desenhadas por Deus para ela. E, nesse sentido, não é mais necessário fixar novas teses nas portas das catedrais modernas. O clamor da igreja é por crescimento espiritual e não apenas numérico. Faz-se necessário atentar para a ordem bíblica expressa pelo apóstolo Pedro: "Cresçam, porém, na graça e no conhecimento de nosso Senhor e Salvador Jesus Cristo" (2Pe 3.18).

Discipular e ensinar

O enfraquecimento na espiritualidade da igreja se faz visível em diferentes áreas, como na prática formativa de discípulos, conforme preceituado por Jesus na grande comissão, que quase foi esquecida. A formação de vidas por meio de um mentoreamento, de uma assistência espiritual, ficou em segundo plano. A pressa em jogar na arena mais um lutador deu margem a muitas distorções. A fonte de inspiração, o caldear, o misturar a doutrina com a prática, que é a essência do ensino sobre o reino de Deus, foi mesclado com práticas que visam simplesmente ao crescimento numérico, mas sem conteúdo. Fala-se muito de Deus, mas se conhece muito pouco a seu respeito. O escritor Brennan Manning comenta em seu livro *A assinatura de Jesus* sobre o que ele chama de "metanoia bíblica":

> A maior parte dos cristãos que conheço, incluindo eu mesmo, foi criada dentro de uma espiritualidade devocional que encoraja as obras exteriores de piedade [...]. Essas devoções destinavam-se a desenvolver e sustentar nosso relacionamento com Deus. [...] A espiritualidade devocional levava a um novo modo de fazer, mas não necessariamente de ver. Ela se concentrava mais no comportamento do que na conscientização; mais em fazer a vontade de Deus e desempenhar atos devocionais que o agradavam do que em experimentar Deus como ele verdadeiramente é. [...] Um modo grosseiro de colocar a coisa seria dizer que gasto tanto tempo fazendo as coisas que agradam a Deus que não me sobra tempo para estar com Deus.[2]

Sem dúvida, há uma grande diferença entre trabalhar *para* Deus e trabalhar *com* Deus. Não podemos negar que, em vez de seguir o princípio de Enoque, de andar com Deus, há uma inclinação maior e quase natural no homem para o ativismo. A igreja precisa sempre contar com o envolvimento das "marias", como também necessita do trabalho das "martas". Seria desastroso se os cristãos seguissem apenas a decisão de Maria, de sentar-se aos pés do Senhor para ouvir seus conselhos. Por mais importante que seja essa posição, ela não pode ser a única. O trabalho de Marta também tem o seu lugar, tem a sua função. É nessa conjunção de forças que o discípulo é formado. A formação e a informação não são exclusivas; não se pode tratar de uma sem qualificar a outra; elas trabalham em conjunto, como os dedos da mão: todos são importantes e cada um cumpre um trabalho em favor da unidade e da saúde do corpo.

Uma Igreja que continua se reformando não pode perder de vista a formação daqueles que fazem parte de sua estrutura espiritual. É necessário voltar a atenção para a educação de seus membros e, principalmente, de seus futuros líderes. Esse é um importante aspecto da nova reforma que a Igreja precisa ter em mente nestes tempos de pós-modernidade, pois é por meio da educação que a informação se verbaliza, se torna consistente. Por isso, ensinar e aprender são dois verbos gêmeos, que funcionam em conjunto: não basta ter a capacidade de ensinar, é preciso criar espaços para a prática do aprendizado. E que seja um aprendizado frutífero, pois sabemos que há riscos em dar ênfase à educação, principalmente o de mergulhar na teoria e viver uma fé amparada meramente em discurso.

O ensino precisa ir além dos púlpitos, pois é quase impossível ensinar usando somente a pregação como ferramenta. Ela é importante e tem o seu papel, mas fazer dela um instrumento de crescimento e maturidade é quase uma utopia. Quem deseja crescer na graça e no conhecimento das verdades bíblicas tem de dedicar tempo e abdicar do descanso e do lazer para sedimentar as verdades divinas no seu íntimo. Tem de "transpirar a camisa do coração", como afirmou o padre e médico João Mohana.

Esse grande desafio da igreja cumpre a orientação do apóstolo Paulo a Timóteo: "E o que de minha parte ouviste através de muitas testemunhas, isso mesmo transmite a homens fiéis e também idôneos para instruir a outros" (2Tm 2.2). Se formos sinceros e honestos com as nossas palavras, concordaremos que pouca coisa a Igreja pós-moderna tem acumulado como herança bíblica, como patrimônio espiritual e como inspiração para oferecer às próximas gerações. A Igreja que se propõe avançar, renovar e restaurar o espírito da Reforma não pode se acomodar. Os líderes precisam olhar com mais atenção a responsabilidade de formar as pessoas que darão continuidade ao trabalho. Isso exige não só tempo, mas, acima de tudo, uma vida pautada pela verdade, pelos princípios bíblicos e pela disposição de transmitir o que se vive. A missão da liderança é a de transformar vidas por meio da própria vida.

Tudo isso nos faz pensar que a igreja precisa urgentemente de uma reforma em sua estrutura de ensino. Por mais importante que sejam as pregações e as ministrações, é preciso ir além, pois a igreja não pode deixar de pensar no amanhã. Formar vidas foi o imperativo de Jesus e para a Igreja não há outro caminho. Como afirmou Francis Schaeffer: "Se não se ossificar, a igreja tem um lugar nos últimos anos do século 20. Cremos que esse lugar pode ser assegurado neste século 21 através de passos concretos em direção a uma tão esperada reforma".[3]

Somos gratos a Deus pela coragem, inspiração e disposição do reformador Martinho Lutero, que nos deixou um legado que não pode ser esquecido. A estrada é longa e o caminho é difícil, mas, se desejamos ser a igreja de Deus nestes tempos de modernidade, não há outra escolha. Celebremos os quinhentos anos da Reforma com o forte desejo no coração de romper com as mesmices que tanto têm fragilizado a Igreja do Senhor Jesus. Assim, oramos a Deus a fim de que ilumine as lideranças cristãs, para que ousem mudar sua forma de pensar e agir. É tempo de reforma. É tempo de escrever mais uma página na linda história de uma Igreja que venceu e que há de vencer todas as barreiras e fincar mais um marco de conquista.

NOTAS

Capítulo 1
[1] Martinho Lutero, *Obras selecionadas*, vol. 10 (São Leopoldo: Concórdia/Sinodal, 2008), p. 35.
[2] Idem, p. 441.

Capítulo 3
[1] Daniel L. Everett, *Dark Matter of the Mind: The Culturally Articulated Unconscious*. (Chicago: University of Chicago Press, 2016), p. 28.
[2] James Underhill, *Humboldt, Worldview and Language* (Edimburgo: Edinburgh University Press, 2009).
[3] Roberto DaMatta. *Carnavais, malandros e heróis: Para uma sociologia do dilema brasileiro* (Rio de Janeiro: Rocco, 1997), p. 187-238.
[4] Sérgio Buarque de Holanda, *Raízes do Brasil* (São Paulo: Companhia das Letras, 1997), p. 4.
[5] Idem, p. 37.
[6] Gastón Espinosa, *Latino Pentecostals in America: Faith and Politics in Action* (Cambridge: Harvard University Press, 2014).

⁷ Daniel Ramírez, *Migrating Faith, Pentecostalism in the United States and Mexico in the 20th Century* (Chapel Hill: University of North Carolina Press, 2015).
⁸ Idem, p. 4.
⁹ Robert Brenneman, *Homies and Hermanos: God and Gangs in Central America* (Nova York: Oxford University Press, 2011).
¹⁰ Martinho Lutero, *On the Freedom of a Christian* (1520).

Capítulo 5

¹ Alderi Souza de Matos, *A caminhada cristã na história: A Bíblia, a Igreja e a sociedade ontem e hoje* (Viçosa: Ultimato, 2005).
² Elben Lenz César, *Conversas com Lutero: História e pensamento* (Viçosa: Ultimato, 2005), p. 98.
³ Idem.
⁴ D. Martyn Lloyd-Jones, *Pregação e pregadores* (São José dos Campos: Fiel, 1998).
⁵ Earle E. Cairns, *O Cristianismo através dos séculos* (São Paulo: Vida Nova, 1988).

Capítulo 7

¹ Bengt Hägglund, *História da teologia* (Porto Alegre: Concórdia, 1981).
² Alister McGrath, *A vida de João Calvino* (São Paulo: Cultura Cristã, 2004).
³ Hermisten Maia, *Fundamentos da teologia reformada* (São Paulo: Mundo Cristão, 2007).
⁴ Bengt Hägglund, *História da teologia* (Porto Alegre: Concórdia, 1981).
⁵ Alister McGrath, *A vida de João Calvino* (São Paulo: Cultura Cristã, 2004).

⁶ Eric J. Alexander, "A supremacia de Jesus Cristo", em *João Calvino: Amor à devoção, doutrina e glória de Deus* (São José dos Campos: Fiel, 2010).
⁷ Citado por George Timothy em *Teologia dos reformadores* (São Paulo: Vida Nova, 1994).
⁸ Eric J. Alexander, "A supremacia de Jesus Cristo", em *João Calvino: Amor à devoção, doutrina e glória de Deus* (São José dos Campos: Fiel, 2010).
⁹ Hermisten Maia, *Fundamentos da teologia reformada* (São Paulo: Mundo Cristão, 2007).
¹⁰ Rubem Amorese, *Celebração do evangelho* (Viçosa: Ultimato, 2010).

Capítulo 8

¹ Disponível em: <http://outraespiritualidade.blogspot.com.br/2007/04/verdade-em-metades.html>. Acesso em: 13 de dez. de 2016.
² Disponível em: <http://noticias.cancaonova.com/especiais/pontificado/francisco/discurso-do-papa-no-evento-ecumenico-na-suecia/>. Acesso em: 12 de dez. de 2016.
³ (São Paulo: Garimpo Editorial, 2010), p. 21, 196, 275.

Capítulo 10

¹ Isaiah Berlin, *The Roots of Romanticism* (Princeton: Princeton University Press, 2001).
² Jean-Claude Usunier, Jörg Stolz, *Religions as Brands, New Perspectives on the Marketization of Religion and Spirituality* (Surrey: Ashgate Publishing Limited, 2014).

Capítulo 11

¹ (Nova York: W.W. Norton & Company, 1960).

2. (Paris: Éditions du Cerf, 1953).
3. (Nova York: The Jewish Theological Seminary, 1938).
4. Idem, 1952.
5. (Cambridge: Cambridge University Press, 2012).

Capítulo 13

1. Disponível em: <http://veritatis.com.br/patristica/165-obras/1406-carta-a-diogneto>. Acesso em: 26 de out. de 2016.
2. Justin Holcomb, "A verdade sobre heresia", em *Cristianismo Hoje*, n. 49, 2015, p. 31.
3. Idauro Campos. *Desigrejados: Teoria, história e contradições do niilismo eclesiástico* (Rio de Janeiro: Contextualizar, 2016), p. 97, 113, 116-117.

Capítulo 15

1. Martin N. Dreher, *História do povo de Jesus: Uma leitura latino-americana* (São Leopoldo: Sinodal, 2013).
2. Disponível em: <http://www.pulpitocristao.com/2008/12/pastores-ou-lobos.html>. Acesso em: 9 de dez. de 2016.

Capítulo 17

1. João Calvino, *As institutas da religião cristã* (São Paulo: Cultura Cristã, 2006), vol. 4, p. 71.
2. Idem.
3. André Biéler, *O pensamento econômico e social de Calvino* (São Paulo: Cultura Cristã, 2012), p. 447.
4. Dietrich Bonhoeffer, "The Church and the Jewish Question", 1933, em *Testament to Freedom: The Essential Writings of Dietrich Bonhoeffer* (Nova York: HarperCollins Publishers, 1990), p. 139.

⁵ J. D. Bratt, *Abraham Kuyper: Modern Calvinist, Christian Democrat* (Grand Rapids: Wm B Eerdmans Publishing Co., 2013), p. xxvi-xxviii.

⁶ Abraham Kuyper, *Calvinismo* (São Paulo: Cultura Cristã, 2003), p. 31.

⁷ Dallas Willard, *A conspiração divina: O verdadeiro sentido do discipulado cristão* (São Paulo: Mundo Cristão, 2001), p. 61.

⁸ John de Gruchy, "From Political to Public Theologies", em *Public Theology for the 21st Century* (Londres: T &T Clark, 2004), p. 40.

⁹ E. Jacobsen, "Modelos de teologia pública", em *Teologia pública em debate* (São Leopoldo: Sinodal, 2011), p. 57.

¹⁰ M. Stackhouse, "Sociedade civil, teologia pública e a configuração ética da organização política em uma era global", em *Teologia pública em debate* (São Leopoldo: Sinodal, 2011), p. 44-46.

¹¹ Karl Menninger, *O pecado de nossa época* (Rio de Janeiro: José Olympio, 1975), p. 18.

¹² Willard, 2001, p. 77.

¹³ Helmut Thielicke, *Recomendações aos jovens teólogos e pastores* (São Paulo: Vida Nova, 2014), p. 51.

¹⁴ Dietrich Bonhoeffer, "Palavra de Deus e credo", em *A resposta às nossas perguntas: Reflexões sobre a Bíblia* (São Paulo: Loyola, 2008), p. 71-72.

¹⁵ L. Ramos e L. Freire, "Neocalvinismo, política e Estado: Contextualizando a abordagem de Herman Dooyeweerd", em Dooyeweerd, H., *Estado e soberania* (São Paulo: Vida Nova, 2014), p. 8-22.

Capítulo 18

¹ (São Paulo: Editora Mackenzie, 2005), p. 20.

² Alister McGrath, *A vida de João Calvino* (São Paulo: Cultura Cristã, 2004).

³ Sobre este assunto, ler o excelente artigo "Atribuindo ao céu o que é humano: a solução do neopentecostalismo para os problemas no âmbito da situação humana empiricamente dada". Jamilly da Cunha Nicácio, em Antonio G. Mendonça e Prócoro Velasques, *Introdução ao Protestantismo no Brasil* (São Paulo: Loyola, 1990).

Capítulo 19

¹ Além da Igreja Batista do Morumbi e da Comunidade Presbiteriana Chácara Primavera, poderíamos destacar como igrejas protestantes que têm vivenciado o novo jeito de ser protestante no Brasil: Igreja Batista de Água Branca, em São Paulo (SP); Igreja Batista Memorial, em São Paulo (SP); Igreja Batista Candeias, em Fortaleza (CE); Cidade Viva, em João Pessoa (PB) e Igreja A Ponte, em Recife (PE), entre outras.

Capítulo 20

¹ Alister McGrath, *Reformation Thought* (Oxford: Wiley-Blackwell, 2012), p. 32-33.

Capítulo 21

¹ Disponível em: <http://www.vatican.va/roman_curia/pontifical_councils/chrstuni/documents/rc_pc_chrstuni_doc_31101999_cath-luth-joint-declaration_po.html>. Acesso em: 3 de jul. de 2016.

² Timothy George, *Theology of Reformers* (Nashville: B&H Publishing Group, 2013), p. 96.

³ Idem, p. 97.

⁴ Disponível em: <http://www.mackenzie.br/fileadmin/Man tenedora/CPAJ/revista/VOLUME_IV__1999__2/Antonio_Jose.pdf>. Acesso em: 4 de jul. de 2016.

Capítulo 22

[1] Harold Lindsell, *The Battle for the Bible* (Grand Rapids: Zondervan, 1976), p. 106-121. Esse livro traz um excelente tratamento sobre a diluição do conceito da suficiência da integridade das Escrituras no meio evangélico norte-americano.
[2] D. Martin Lloyd-Jones. *Rememorando a Reforma* (São Paulo: Publicações Evangélicas Selecionadas, 1996), p. 8.
[3] Idem.

Capítulo 23

[1] Thomas Friedman, *O mundo é plano* (Rio de Janeiro: Objetiva, 2007), p. 61.
[2] Brennan Manning, *A assinatura de Jesus* (Niterói: Textus, 2005), p. 176-177.
[3] Francis Schaeffer, *A igreja do final do século XX* (Viçosa: Ultimato, 1995), p. 93.

SOBRE OS AUTORES

ALDERI SOUZA DE MATOS
Pastor, professor e historiador. Doutor em Teologia (Th.D.), é docente do Centro Presbiteriano de Pós-Graduação Andrew Jumper, em São Paulo (SP). Historiador da Igreja Presbiteriana do Brasil e autor de vários livros.

ANTÔNIO CARLOS COSTA
Fundador da ONG Rio de Paz (filiada ao Departamento de Informação Pública da ONU), jornalista, teólogo e plantador e pastor da Igreja Presbiteriana da Barra, no Rio de Janeiro (RJ). Mestre em História do Cristianismo pelo Centro de Pós-Graduação Andrew Jumper, é doutorando em Teologia pela Faculté Jean Calvin, em Aix-en-Provence, na França.

ARMANDO BISPO DA CRUZ
Pastor da Igreja Batista Central de Fortaleza (CE) e mestre em Divindade.

BRAULIA RIBEIRO
Missionária, atuou por trinta anos na Amazônia e seis anos no Pacífico, onde coordenou programas de pesquisa e educação

para grupos da Polinésia e da Melanésia. Hoje, segue carreira acadêmica.

CIRO SANCHES ZIBORDI
Pastor na Assembleia de Deus em Niterói, é escritor, editor e articulista. Membro da Academia Evangélica de Letras e da Casa de Letras Emílio Conde, é autor de dez obras, entre elas *Erros que os pregadores devem evitar*, *Erros que os adoradores devem evitar*, *Evangelhos que Paulo jamais pregaria* e *Procuram-se pregadores como Paulo*.

DURVALINA BEZERRA
Teóloga, escritora, mestre em Educação, especialista em Missiologia, conferencista e escritora. Coordenadora-geral de ensino e diretora do Seminário Betel Brasileiro, em São Paulo. Compõe a diretoria da Rede de Mobilização de Mulheres de Ação Global e de Mulheres em Ministério.

ED RENÉ KIVITZ
Pastor-presidente da Igreja Batista de Água Branca, em São Paulo (SP). Teólogo, escritor e mestre em Ciências da Religião pela Universidade Metodista de São Paulo (SP).

GERSON BORGES
Poeta, escritor, cantor e compositor. Graduado e pós-graduado em Letras (Língua e Literaturas Inglesa, Portuguesa e Brasileira), preside o colegiado pastoral da Comunidade de Jesus em São Bernardo do Campo (SP).

ISABELLE LUDOVICO
Economista e psicóloga clínica com especialização em Terapia Familiar Sistêmica. Autora do livro *O resgate do feminino: a força da sensibilidade e ternura em homens e mulheres* (Mundo Cristão, 2010). Francesa, serve o Corpo de Cristo cuidando

dos cuidadores. Membro da Comunidade de Jesus em São Paulo (SP).

JAY BAUMAN
Pastor da Igreja do Redentor (RJ), diretor do ministério Atos 29 América Latina e fundador do Restore Brazil.

LUIZ FELIPE PONDÉ
Filósofo, escritor e ensaísta. Pós-doutorado em Epistemologia pela Universidade de Tel Aviv, é professor da PUC-SP e da FAAP.

LUIZ SAYÃO
Linguista, teólogo e hebraísta. Pastor da Igreja Batista Nações Unidas, em São Paulo (SP).

MARCOS ALMEIDA
Cantor e compositor. Membro-fundador da banda brasileira de *rock* Palavrantiga, faz parte da equipe pastoral da Missão Praia da Costa, em Vila Velha (ES).

MAURÍCIO ZÁGARI
Teólogo, escritor, editor e jornalista. Recebeu dois prêmios Areté, entre eles o de Autor Revelação do Ano. É autor de nove livros já publicados, entre eles *Perdão total*, *O fim do sofrimento*, *Confiança inabalável* e *Na jornada com Cristo*, pela Mundo Cristão. Escreve regularmente em seu *blog* Apenas <apenas1.wordpress.com>. Membro da Igreja Cristã Nova Vida de Copacabana, no Rio de Janeiro (RJ).

MIGUEL UCHÔA
Bispo anglicano da Diocese do Recife (PE) e reitor da Paróquia Anglicana Espírito Santo (PAES), em Jaboatão dos Guararapes (PE). Bacharel em Teologia com pós-graduação pelo Seminário Teológico Batista do Norte. Engenheiro de Pesca com especialização em Israel, China e Brasil.

NANCY GONÇALVES DUSILEK

Palestrante e escritora. Membro da Academia Evangélica de Letras do Brasil. Graduada em Letras e Educação Religiosa. Autora dos livros *Liderança cristã: a arte de crescer com as pessoas* e *Descobrindo e capacitando líderes*. Membro da Igreja Batista Itacuruçá, no Rio de Janeiro (RJ).

PAULO AYRES MATTOS

Pastor metodista, com ministérios em São Paulo, Rio de Janeiro, Portugal e Nordeste do Brasil. Doutor em Teologia pela Drew University (EUA) e ex-professor da Faculdade de Teologia e do Programa de Pós-Graduação da Universidade Metodista de São Paulo (SP).

PEDRO LUCAS DULCI

Pastor, filósofo, teólogo e escritor. É graduando em Teologia pelo Seminário Presbiteriano Brasil Central, doutorando em filosofia pela Universidade Federal de Goiás e pastor auxiliar na Igreja Presbiteriana Bereia, em Goiânia (GO).

RICARDO BITUN

Pastor da Igreja Evangélica Manaim. Doutor em Sociologia, mestre em Ciências da Religião, bacharel em Teologia e em Ciências Sociais. Coordenador do Programa de Pós-Graduação em Ciências da Religião do Centro de Educação, Filosofia e Teologia da Universidade Presbiteriana Mackenzie (CEFIT) e professor no Programa de Pós-Graduação em Ciências da Religião da Universidade Presbiteriana Mackenzie, em São Paulo.

RIVANILDO SEGUNDO GUEDES

Pastor, professor e cientista da Religião. Bacharel em Teologia, mestre em Ministério, mestre em Ciência da Religião, doutorando em Ciência da Religião, doutor em Liderança Pastoral, graduado em Liderança Avançada e *Life Coach*. É um dos pastores da Igreja Batista do Morumbi, em São Paulo (SP).

RUSSELL SHEDD (*IN MEMORIAM*)
Teólogo, pastor batista, escritor, conferencista, comentarista da Bíblia.

SÉRGIO QUEIROZ
Pastor e presidente do Sistema Cidade Viva, mestre em Teologia e em Filosofia, doutor em Ministério pela Trinity Evangelical Divinity School (EUA) e procurador da Fazenda Nacional.

SOLANO PORTELA
Diretor de operações da Educação Básica do Mackenzie, matemático, escritor, mestre em Teologia e doutorando em Educação. Presbítero e membro da Comissão de Relações Intereclesiásticas da Igreja Presbiteriana do Brasil, cuja Junta de Educação Teológica presidiu. É conferencista teológico, educacional e empresarial e presidiu o Conselho Deliberativo da World Reformed Fellowship.

TITO OSCAR
Pastor da Igreja de Nova Vida de São Paulo (SP) e bispo sênior do Conselho de Pastores das Igrejas de Nova Vida do Brasil. Bioquímico, é autor de 21 livros.

Compartilhe suas impressões de leitura escrevendo para:
opiniao-do-leitor@mundocristao.com.br
Acesse nosso *site*: www.mundocristao.com.br

Equipe MC: Maurício Zágari (editor)
Heda Lopes
Natália Custódio
Diagramação: Luciana Di Iorio
Revisão: Luciana Chagas
Gráfica: Imprensa da Fé
Fonte: Minion Pro
Papel: Chambril Avena 70 g/m² (miolo)
Cartão 250 g/m² (capa)